Frédéric Petitbon • Julie Bastianutti • Michaël Montaner

UP SKILLING

LES 10 RÈGLES D'OR DES ENTREPRISES QUI APPRENNENT VITE

DUNOD

Suivi éditorial : Delphine Levêque et Yaël Bourcet

Fabrication : Martine Pierron

Direction artistique : Élisabeth Hébert

11, rue Paul Bert, 92240, Malakoff

www.dunod.com

ISBN : 978-2-10-081731-3

Sommaire

PARTIE 3 – Les règles d'or des organisations qui apprennent vite

Introduction

L'*upskilling* dans un monde post-Covid

« *Qui dirige la transformation numérique dans votre entreprise : le P-DG, le Chief Digital Officer, ou le Covid-19 ?* » Cette boutade a rencontré un grand succès au printemps 2020.

La pandémie aura plus contribué au changement des pratiques de travail que dix ans de plans bien préparés. Nécessité a fait loi. Les personnes se sont adaptées, avec plus ou moins de facilité, à des fonctionnements de travail jugés encore impensables avant le confinement. Le travail à distance de 8 millions de personnes en France (contre plus de 18 millions qui n'ont pas pu télétravailler) et dans 88 % des organisations dans le monde[1], rendu possible par le numérique, a permis de maintenir une continuité de l'activité et de préserver les collectifs de travail. Les capacités d'adaptation ont pu varier selon les secteurs et les métiers, mais même les entreprises les moins préparées ont su faire preuve d'une adaptabilité inattendue[2].

1. Enquête Gatner RH, mars 2020.
2. Institut de l'entreprise, « L'impact de la crise du Covid-19 sur le travail : première analyse », 1er mai 2020, à partir des témoignages de « La Quotidienne des Entreprises en Action ».

Selon une enquête[1] menée pendant le confinement, 78 % des répondants estimaient que leur entreprise était peu ou non préparée au confinement, mais 72 % qu'elle s'était « facilement adaptée » à la situation. Résilience et agilité se sont révélées être plus que de vains mots d'ordre. Pour tous, l'injonction « avancer en incertitude » a cessé d'être un slogan pour devenir une réalité perçue.

À cette occasion, beaucoup de managers ont pu expérimenter un renforcement de la confiance qu'ils placent dans leurs collaborateurs, leur capacité d'initiative et d'autonomie, et constater le maintien de la productivité. Le contrôle devenant plus difficile, la pratique de la délégation s'est élargie, tandis que se sont réduits les reportings redondants et inutiles. Le temps et les énergies ont été investis sur l'essentiel. Tous ces paramètres représentent un capital que la sortie de crise devra préserver. Cet épisode aura clairement été un accélérateur de la transition vers un management de soutien professionnel, reposant sur la confiance, la délégation, l'autonomie, et sur une meilleure compréhension du nécessaire équilibre entre vie professionnelle et vie personnelle – bien des managers l'ayant directement expérimenté dans leur foyer. Des questionnements plus profonds des individus sur leur rapport au travail (engagement, équilibre, sens), déjà émergents, pourraient se renforcer.

La baisse brutale de l'activité dans certains métiers ou secteurs a représenté l'occasion d'un recours accru à la formation et à l'autoformation (à distance), dépassant le seul usage plus intensif des outils numériques. L'offre gratuite de webinaires et Moocs a été démultipliée et certains y ont eu recours, sans forcément attendre d'y être incités par leur entreprise. L'idée d'un travailleur acteur de son parcours acquiert

1. Pech T., Richer M., (2020). « La révolution du travail à distance : l'enquête #Montravailàdistance, Jenparle », *Terra Nova*, 30 avril. Enquête https://www.mon-travail-a-distance.fr, menée par Res Publica avec plusieurs partenaires : la CFDT, Metis Europe, *Management & RSE*, *Liaisons sociales magazine* et *Terra Nova*, sur un échantillon de 1 860 personnes travaillant à distance pendant le confinement et ayant renseigné volontairement un questionnaire administré en ligne entre le 1er et le 20 avril 2020.

ainsi une réalité concrète pour ceux qui l'ont expérimentée. Certaines entreprises se sont également saisies de la disponibilité involontaire de leurs salariés pour les inciter à la formation. Elles anticipent ainsi des déplacements durables de leur modèle d'affaires en sortie de crise, notamment le renforcement du e-commerce, qui impliquera des redéploiements et des réaffectations des personnels. Il s'agit donc de s'y préparer. Comme le dit le mantra d'une grande entreprise : « *Learning never stops.* »

La rapidité des apprentissages durant la crise sanitaire a-t-elle été une exception dans la vie des organisations ? L'apprentissage accéléré peut-il être reproduit pour d'autres transformations ?

Dans le contexte de crise économique actuel, rien n'est moins sûr : la tension qui règne dans les entreprises se traduit par la tentation du repli sur soi, par la crispation sur des pratiques éprouvées dans « le monde d'hier » et conduit, sinon à un retour en arrière, en tout cas à des freins pour basculer rapidement vers de nouvelles pratiques.

Et pourtant le besoin pour les entreprises et leurs collaborateurs d'apprendre vite, à grande échelle, n'a probablement jamais été aussi fort. À la crise économique qui impose souvent de réviser le modèle d'affaires s'ajoute la nécessité de transformer profondément le modèle sociétal. Les travaux et débats des dernières années, tant dans le monde académique que dans celui des think-tanks économiques, abordent des sujets communs : repenser l'« objet social » de l'entreprise bien au-delà de la responsabilité financière vis-à-vis de ses actionnaires (Segrestin et Hatchuel, 2012), réfléchir au partage des profits et responsabilités vis-à-vis de l'ensemble des parties prenantes, réfléchir aux modalités de l'exercice du pouvoir pour une gouvernance plus démocratique (Torres/Institut de l'Entreprise, 2018) : autant de défis qui imposent de repenser profondément les modes d'action et la temporalité pour devenir une entreprise pleinement responsable – ayant intégré les impératifs de la transition écologique, et une vision multidimensionnelle de sa responsabilité sociétale.

Nous étions déjà largement engagés dans la préparation de ce livre au moment où la crise sanitaire a éclaté, et celle-ci n'a fait que renforcer la thèse que nous soutenons : face à la digitalisation et à l'automatisation, face à l'impératif de la transition environnementale, l'*upskilling* rapide de très larges effectifs de personnes ne repose pas que sur la formation, mais sur un mouvement systémique de l'entreprise, agissant simultanément sur les modes de travail, de communication, sur le modèle managérial et de leadership. Convaincus de l'importance de l'*upskilling* pour les organisations, à la fois sur le plan de leur performance et de leur responsabilité sociale, nous n'imaginions cependant pas que les principes que nous exposons dans cet ouvrage seraient confrontés si rapidement à un « *stress test* » à très grande échelle. Soudainement, la question des apprentissages rapides aux échelons simultanés de l'individu, de l'équipe de travail et de l'organisation, s'est trouvée posée avec une acuité inégalée pour toutes les organisations, et en premier lieu celles dont la taille et la présence mondiale les soumettent à une remise en cause profonde de leurs modèles organisationnels et de management. Il s'agit maintenant d'organiser ce qui a fonctionné dans l'improvisation et de permettre un apprentissage accéléré.

Les implications sont fortes pour les trois catégories de lecteurs auxquels s'adresse cet ouvrage.

Les managers d'abord. Ce sont les premiers concernés par notre sujet : l'apprentissage accéléré dans l'entreprise passe d'abord par la transformation de leurs pratiques de travail et d'animation d'équipe, pour basculer vers un mode apprenant, porté par des rituels bien pensés, un coaching à tous les étages, souvent très éloigné de ce qu'on leur a enseigné. Les managers sont aussi ceux qui doivent, plus encore que les autres professionnels, « prendre le volant » et construire eux-mêmes leur parcours d'apprentissage. Ce sont leurs initiatives et leurs prises de parole qui mettront en mouvement leur entreprise.

Les Comex évidemment. Non, les questions de compétences et d'*upskilling* ne sont pas l'apanage des directions des ressources humaines auxquelles il suffirait de confier un budget de formation pour accélérer la transformation de l'entreprise. Ce sont d'abord et avant tout des questions de direction générale, au travers de la vision donnée sur les compétences de demain, de l'organisation et du management des projets de transformation, pour qu'ils deviennent « apprenants », à l'échelle. Et, bien sûr, si le Comex lui-même témoigne, dans son mode de fonctionnement, d'une forte capacité d'apprentissage, c'est la trajectoire d'ensemble de l'entreprise qui est orientée dans la bonne direction.

Les DRH enfin. Apprendre vite, à l'échelle, n'est pas qu'une question de formation, même sous forme de *digital learning*. C'est plus fondamentalement une autre vision de « l'apprenance » où le collaborateur devient le conducteur de ses propres apprentissages et cesse d'être « ficelé » par les règles et procédures RH ; où l'essentiel se passe dans les équipes, avec l'accompagnement des managers dans leur rôle de coach auquel ils ne sont pas forcément préparés. C'est une révolution pour les RH, dont le rôle de conseil et d'adjuvant devient primordial.

Ce livre est issu des rencontres que nous avons faites au sein des entreprises que nous accompagnons pour leur transformation – ces managers et dirigeants, conscients de l'urgence des mutations nécessaires dans les portefeuilles de compétences, qui innovent aussi bien dans les politiques d'ensemble que dans les pratiques du quotidien. Ces transformations touchent en premier lieu les grandes entreprises mondialisées, qui ont été nos principales sources d'observation. L'enjeu de l'apprentissage rapide est bien sûr majeur pour les PME et ETI, *a fortiori* dans le contexte de crise et d'accélération que nous connaissons. La transformation en profondeur des modes d'organisation, de travail et de leadership sera peut-être plus simple à conduire de manière systémique dans ces organisations aux effectifs et périmètre d'activité plus restreints, mais elle n'en demande pas moins un effort de prise de conscience pour les dirigeants, et une vraie volonté de changement. En cela, ce livre s'adresse à un large public de lecteurs et pas simplement au monde des grands groupes mondialisés.

En allant à la rencontre de ces entreprises qui expérimentent de nouvelles modalités pour accélérer les apprentissages, nous avons identifié 10 règles d'or des organisations qui apprennent vite. Bien entendu, le mot « règles » est ici assez impropre, car elles n'ont rien de mécanique, ni de général, ni d'abstrait. Il faut entendre le terme au sens de « principe d'action ».

Pourquoi user de cet anglicisme « *upskill* » – pourront s'interroger certains lecteurs –, alors que la langue française est riche de termes tels que « compétences » ou « apprenance » ? C'est d'abord qu'il est, avec « *reskill* », le terme désormais consacré dans les entreprises mondialisées (voir premier Focus du chapitre 1). C'est aussi et surtout parce qu'il marque, à notre sens, une rupture avec la terminologie habituellement utilisée par les services RH et les experts de la formation. Or, notre thèse consiste justement à dire que la montée en compétences est un sujet prioritaire qui concerne le management de l'entreprise dans sa globalité, et pas seulement le recrutement, la formation ou la gestion des carrières.

Nous nous appuyons sur un aller-retour constant entre les observations de terrain et l'éclairage académique, car nous sommes convaincus de la puissance pour l'action d'une prise de recul universitaire. La rédaction de ces pages a été stimulée par les débats entre les auteurs, entre les intuitions des praticiens et la connaissance académique.

Dans la première partie du livre – l'apprentissage à l'échelle dans l'entreprise –, le lecteur mettra en perspective les enjeux actuels de l'*upskilling* avec les travaux académiques, anciens et récents, sur l'organisation apprenante et la fabrique de la « *learning company* ».

Dans la deuxième partie – les règles d'or des équipes qui apprennent vite –, nous proposons six règles d'or pour concrétiser l'apprentissage accéléré des individus et des équipes sur le terrain.

Dans la troisième partie – les règles d'or des organisations qui apprennent vite –, nous proposons quatre règles d'or, à hauteur de dirigeants, pour dégager les conditions organisationnelles et de pilotage d'une entreprise qui apprend vite.

PARTIE 1

L'apprentissage à l'échelle dans l'entreprise

Apprendre en entreprise est une question d'une grande actualité, mais c'est aussi un sujet ancien alimenté par des travaux académiques multiples depuis plus de cinquante ans. Ces travaux de recherche ont des applications très concrètes pour les entreprises.

Dans le premier chapitre, nous abordons les enjeux actuels de l'*upskilling* face à la transformation des métiers et des organisations et posons le principe de l'insuffisance de la formation pour y répondre.

Dans le deuxième chapitre, nous présentons les travaux académiques pionniers en matière d'apprentissage organisationnel et marquons le passage du *knowledge* au *knowing*.

Le troisième chapitre expose les résultats de la recherche la plus récente autour de concepts clés tels que les passeurs culturels et autres interfaces organisationnelles, les «*new ways of working*» ou l'importance de la sécurité psychologique.

1

Les enjeux de l'*upskilling*

Face à la transformation digitale, la majorité des économistes se veulent rassurants : elle détruit surtout des tâches à faible valeur ajoutée, et non les emplois eux-mêmes qui évoluent dans leur portefeuille de tâches[1]. Il n'empêche… Bien malin celui qui, dans ce contexte, peut prétendre prédire l'avenir et anticiper le rythme des évolutions. Ce que nous constatons, c'est que la transformation des métiers se produit à une vitesse difficile à suivre… dans la santé, la distribution, les services aux entreprises, la banque, l'énergie et l'industrie – pour ne citer que quelques-uns des secteurs affectés.

L'enjeu pour les organisations est de construire des modes d'apprentissage et des parcours pour les collaborateurs, qui puissent à la fois assurer la performance et la résilience de l'entreprise, et contribuer à l'employabilité des salariés. Penser que seule la formation sera convoquée pour atteindre ce but serait une erreur. Il s'agit en fait d'une transformation organisationnelle de grande ampleur.

1. Nous n'entrons pas ici dans ce débat qui fait l'objet de très nombreuses publications et controverses. Pour une vision synthétique des différentes études sur ce sujet et leurs éventuelles contradictions, voir « Numérique et emploi : quel bilan ? », *Les Synthèses de La Fabrique*, n° 12, avril 2017.

Un constat d'inadaptation ou d'obsolescence des compétences

La transformation des métiers est susceptible de créer, au niveau de chaque entreprise, un constat d'inadaptation ou d'obsolescence des compétences disponibles, pouvant se traduire par une pénurie en phase intermédiaire. Selon une récente étude PwC (2019), les entreprises françaises, qu'elles soient petites ou grandes, sont près de 40 % à anticiper une obsolescence des compétences à moyen terme (plus de 3 ans) sous l'effet du digital et de l'automatisation. Celle-ci est envisagée comme un risque pour la qualité de service au client (55 %), la capacité d'innovation (49 %) et, plus généralement, pour la compétitivité (54 %). Plus encore, la pénurie de compétences est anticipée comme un frein à la transformation numérique pour 54 % de ces PME et ETI qui se déclarent déjà en retard par rapport à celle-ci ; ce facteur les empêche de passer à la vitesse supérieure malgré l'urgence.

La transformation digitale devant avancer main dans la main avec la transformation des compétences, il paraît donc essentiel pour les directions générales, avec le soutien des DRH et des métiers, de se saisir de cette question. Pourtant, à fin 2019, elles étaient encore 77 % à déclarer n'avoir pas ouvert le dialogue avec les collaborateurs sur l'enjeu de la transition des compétences.

Rechercher les talents à l'intérieur de l'entreprise

Pour 85 % des grandes entreprises et 69 % des ETI/PME, la principale cause de pénurie des compétences est la difficulté à développer ou reconvertir les équipes internes (PwC, 2019). Les dirigeants manqueraient-ils de confiance dans les capacités d'adaptation de leurs collaborateurs en place ?

Une étude récemment conduite par la Harvard Business School dans 11 pays[1] (Fuller *et al.*, 2019) – dont la France – souligne que le management sous-estime considérablement la volonté et les capacités d'adaptation des salariés. La pensée dominante chez les managers consiste à croire que les salariés résistent aux changements technologiques qui rendent leurs compétences obsolètes et qu'ils sont, pour la plupart, incapables de s'y adapter.

Il est indéniable que les salariés craignent l'impact des technologies sur *leur emploi*, mais cela se révèle souvent être un moteur plutôt qu'un frein – même s'il faut rester prudent sur l'usage de communications de type « plateforme qui brûle »[2]. L'étude indique aussi que, dans tous les pays, la majorité des salariés envisagent positivement l'effet des technologies sur *leur travail* : ils pensent qu'elles rendront le travail plus intéressant, plus autonome et que leur rémunération en sera améliorée. Plus encore, ils considèrent majoritairement qu'adapter leurs compétences relève de leur propre responsabilité – sauf en France et au Japon[3], ce qui mériterait en soi une analyse –, mais ils réclament en revanche de la part du management davantage d'aide et d'orientation (« *guidance* ») pour y faire face. De leur point de vue, les obstacles à l'adaptation portent principalement sur : le manque de connaissances quant aux options qui leur sont ouvertes, le manque de temps pour se former, le coût élevé des

1. Les 11 pays sont : Allemagne, Brésil, Chine, Espagne, États-Unis, France, Inde, Indonésie, Japon, Suède et Royaume-Uni.
2. L'expression « *burning platform* » (plateforme qui brûle) fait référence à un ouvrier d'une plateforme pétrolière en feu ayant préféré sauter dans une mer glacée plutôt que brûler vif en attendant les secours. Elle désigne les méthodes d'entreprises qui jouent sur un sentiment d'urgence pour stimuler le changement chez les collaborateurs (voir règle d'or n° 7).
3. Cette étude internationale menée conjointement par la Harvard Business School et l'Institut Henderson du BCG, indique qu'en France et au Japon, la majorité des travailleurs considèrent que c'est aux pouvoirs publics et aux entreprises de les préparer à affronter les transformations du travail. Dans tous les autres pays, la majorité des travailleurs considèrent que cela relève de leur responsabilité, même s'ils attendent plus d'aide de leurs entreprises qu'ils n'en obtiennent actuellement.

formations et le manque d'appui de leur hiérarchie. Toutes choses que le management d'une entreprise pourrait contribuer à lever.

Cet écart de perception entre les dirigeants et les salariés est préoccupant. Il pourrait conduire les dirigeants à méconnaître le réservoir d'énergie et de talents qui existe à l'intérieur de leur entreprise, à renoncer à investir dans le développement des compétences de leurs collaborateurs, et à envisager d'autres solutions pour la recomposition de leur capital humain[1] (McKinsey Global Institute, 2018). « *Il ne faut pas perdre de vue que les salariés à tous niveaux de qualification peuvent s'adapter, y compris radicalement. Le "gap" est un faux sujet. Il ne faut pas oublier non plus que nous risquerions de perdre des compétences très fines qui pourraient être utiles, même dans un monde numérique* », insiste un DRH.

Rechercher les talents à l'intérieur de l'entreprise devrait devenir un nouveau mot d'ordre. Pourtant, comme praticiens et chercheurs, nous sommes tous les jours confrontés, dans les entreprises que nous côtoyons, à des situations dégradées d'équipiers laissés au bord de la route ou d'équipes ne parvenant pas à faire face aux nouvelles situations.

Upskilling : un défi inédit par sa complexité

Ne nous cachons cependant pas derrière notre petit doigt. Le défi auquel sont confrontées les entreprises est inédit par sa complexité.

Pour assurer leur agilité et leur compétitivité, elles doivent *en même temps* :

a) transformer des métiers historiques pour de très larges effectifs – pensons aux opérateurs de l'industrie, aux hôtes.ses de

1. Selon cette étude du McKinsey Global Institute (2018), les cinq stratégies des entreprises pour recomposer leur capital humain face à l'obsolescence des compétences sont : former, redéployer, embaucher, externaliser et licencier.

caisse dans la distribution, aux employé.es de banque, aux comptables et auditeurs, aux *paralegals* (assistant.e.s juridiques), etc. ;

b) acquérir de nouvelles compétences exigées par des métiers entièrement nouveaux (qu'on ne connaît souvent pas encore) ;

c) transformer les modèles managériaux et de leadership, en prenant en compte le niveau individuel et collectif.

C'est ce défi global que nous appelons « *upskilling* ».

Comme le résume Claude Riveline, professeur honoraire de gestion des organisations à Mines ParisTech[1], trois facteurs modifient considérablement le contexte de travail à la fois pour les entreprises et pour les salariés : la hausse du niveau de formation et d'information des individus, la connexion permanente et l'accélération du tempo. La transition des compétences s'opère en outre dans un contexte où les attentes des salariés et le rapport au travail, en particulier des jeunes générations, ont beaucoup changé : soif d'autonomie, moindre fidélité à l'entreprise, demande d'un travail « à la carte » qui prenne en compte le projet de vie (télétravail et horaires variables), exigence de transparence dans la communication, contestation de l'autorité, quête de sens, etc. De ce fait, la situation implique pour les entreprises d'investir, de façon considérable, dans des personnels qu'elles ne sont même pas sûres de conserver à moyen terme. Paradoxalement cependant, ces nouvelles attentes pourraient aussi être un levier facilitant la transition.

C'est la compétitivité à long terme des entreprises qui se joue via l'*upskilling*. Mais il en va aussi de leur responsabilité sociale. Le mouvement lancé par certaines grandes entreprises s'accélère, elles sont de plus en plus mobilisées sur le sujet du développement de l'employabilité de leurs salariés qu'elles considèrent comme une composante essentielle du volet social de leur politique RSE, au même titre

1. Débat du 26 février 2020 : « Entreprises libérées, futur des organisations ou impasse ? » organisé à Mines ParisTech par l'ACADI, l'École de Paris du management, la chaire Futurs de l'industrie et du travail et La Fabrique de l'industrie.

que la diversité, l'égalité femmes/hommes ou l'inclusion. L'entreprise d'aujourd'hui et de demain sera celle qui aura traduit en actes la RSE, en premier lieu dans le développement de ses collaborateurs.

Focus ◆ Upskilling, reskilling, cross-skilling deskilling : de quoi parle-t-on ?

- **Reskilling :** pratique consistant à recruter des candidats ne possédant pas toutes les compétences nécessaires pour un poste et à leur donner la formation nécessaire.
- **Upskilling :** démarche globale d'une entreprise cherchant à anticiper l'obsolescence des compétences par le développement d'un apprentissage en continu.
- **Cross-skilling :** pratique de développement de compétences étendues afin de rendre des collaborateurs capables d'effectuer des tâches hors de leur champ d'action habituel.
- **Deskilling :** processus d'appauvrissement d'un métier ou d'une fonction résultant de l'automatisation de certaines tâches ou de l'introduction de technologies nouvelles.

La formation : nécessaire mais (très) insuffisante

Pour adapter l'entreprise et les collaborateurs aux métiers de demain, le réflexe « formation » est une condition certes nécessaire, mais largement insuffisante, même quand celle-ci est déployée de façon massive à coups de centaines de milliers d'euros. La formation se révèle souvent peu efficace pour faire réellement évoluer les compétences.

Comme le montre Sandra Enlart (2018), la formation professionnelle continue est conçue pour l'essentiel selon le modèle scolaire et vertical, mettant en scène un sachant et des non-sachants. La pédagogie semble avoir peu évolué sur le fond : présentation de concepts, idées ou savoirs, puis mise en pratique avec des cas, et enfin correction et prise de recul… Les outils digitaux n'ont pas fondamentalement changé la donne. Certes, les séquences de formation peuvent être plus courtes, les contenus plus interactifs (quiz), les supports plus diversifiés (vidéos, dessins animés), les formules réinventées (*serious games*, *learning expeditions*) et l'accès aux dispositifs rendu plus autonome pour le salarié (plateformes de contenus), mais la logique dominante des apprentissages reste la même, et bute sur des mises en application souvent médiocres sur le terrain. Nous connaissons d'ailleurs des entreprises qui n'utilisent plus le terme « formation », tant il charrie pour nombre de collaborateurs l'image de la salle de classe et de l'apprentissage passif. Pour certaines populations peu diplômées, l'idée de la salle de classe est même complètement rédhibitoire et suscite une résistance instinctive.

Les apports de la recherche en pédagogie et en neurosciences, ici très sommairement synthétisés par la pyramide de l'apprentissage (figure 1), indiquent que les cours magistraux ont une efficacité de rétention de l'ordre de 5 % quand celle de l'apprentissage par la pratique ou par les pairs obtient des scores de 75 % à 90 %. C'est donc toute la façon de concevoir les apprentissages au travail qu'il s'agit de repenser.

En outre, la formation est le plus souvent envisagée dans une perspective d'acquisition *individuelle* de compétences, alors que l'enjeu de la transformation des compétences est *massif* et *collectif*. C'est pourquoi, nous parlons d'*upskilling* collectif ou d'*upskilling* à grande échelle.

Concrètement, l'objectif auquel l'entreprise tend (ou devrait tendre) consiste à faire basculer rapidement des unités entières – un site, une *business unit* – dans de nouvelles pratiques de travail, car ce sont principalement les modes de travail qui créent et ancrent les apprentissages. Pour un adulte, apprendre représente un effort intense qui est très difficile sans une réelle motivation. La difficulté pour les entreprises est de trouver et d'activer les leviers capables de « booster » l'engagement des individus dans les apprentissages.

Figure 1 – La pyramide de l'apprentissage selon les approches pédagogiques et leur efficacité relative

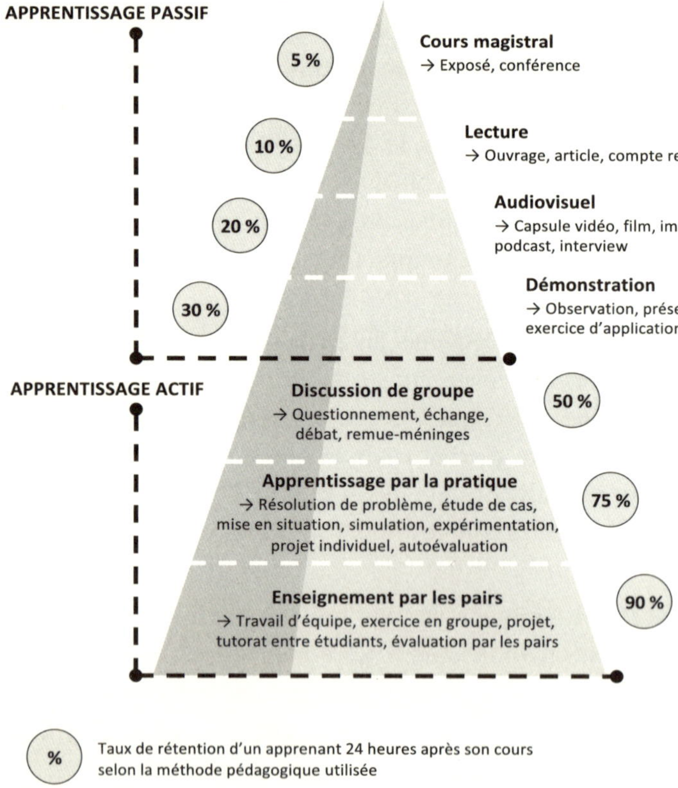

Source : D'après Direction de l'apprentissage et de l'innovation pédagogique, HEC Montréal.

Passer à la *fast learning company*

Lorsque l'on évoque la nécessité d'adapter les compétences des collaborateurs aux transformations en cours, le premier réflexe est de penser aux impacts du numérique. Les exemples sont nombreux et concernent tous les domaines d'activité : automatisation des tâches répétitives par des robots, explosion des données disponibles sur les clients, accélération de la capacité à poser un diagnostic sur une panne, voire à prédire une future panne, ou encore renforcement du pilotage de l'activité en s'appuyant sur des solutions logicielles qui synthétisent et mettent en forme instantanément un volume d'informations qui aurait nécessité des semaines de traitement au début des années 2000.

Tous ces progrès sont censés améliorer la sacro-sainte performance : accélérer et faciliter la prise de décision, augmenter la productivité, renforcer la confiance dans la gestion des affaires courantes, développer l'innovation au sein des équipes « déchargées » de tâches fastidieuses, etc.

Mais les résultats sont plus mitigés. Il y a toujours autant de réunions : pour se synchroniser, pour rendre compte, pour faire savoir, pour décider (parfois). L'accompagnement pour utiliser tous ces nouveaux outils reste insuffisant. Les organisations restent un assemblage de silos et la continuité numérique n'est pas assurée.

Les modèles économiques sont aussi bouleversés par ce raz-de-marée, y compris dans le secteur technologique, et nécessitent de s'adapter en permanence, comme le montre le cas de Sage.

Upskilling@scale : la transformation des équipes commerciales chez Sage

L'exemple de l'entreprise Sage en France est édifiant. C'est le leader mondial des technologies de gestion des entreprises[1]. Mais son modèle économique change et bascule vers la distribution de

1. https://www.sage.com/fr-fr/

logiciels en mode SaaS (*Software as a Service* – Logiciel en tant que Service en français). Il s'agit désormais de vendre un bouquet de services et non une solution. Le client peut à tout moment résilier son abonnement là où auparavant il achetait une licence d'utilisation pour une période définie. Il devient donc crucial qu'il soit satisfait lors de chaque interaction avec son fournisseur.

Pour soutenir sa stratégie de basculer 100% de ses produits en mode SaaS, Sage avait d'abord multiplié les sessions de formation «classiques» dans ses équipes. Sans effet notable. L'entreprise décide alors d'accélérer sa propre transformation, en commençant par les équipes commerciales. L'ambition est claire: investir sur les compétences de ses managers et de ses équipes pour générer de la croissance. En moins de 12 semaines, du vendeur au directeur général, ils modifient radicalement leurs façons de travailler. Avec pour résultat une augmentation des revenus de plus de 50%! Que s'est-il passé?

Tout a commencé par deux jours de *bootcamp*: une simulation ludique de ce qui va se passer dans les 12 semaines suivantes, en s'appuyant sur un cas d'entreprise joué par tous ceux qui vont vivre l'aventure. Des vendeurs, tous les managers des ventes, le comité de direction et quelques managers des fonctions support, sont répartis de manière aléatoire par équipe de 7. Ils sont plus de quarante à se retrouver vers 8 heures, certains perplexes, tous curieux et heureux de discuter autrement que par e-mail. Après le café de bienvenue, la compétition bienveillante s'engage en cinq tours. Entre chaque tour, deux nouveaux éléments de management sont présentés de façon théorique: charge aux équipes d'en trouver l'application dans le jeu avec l'appui d'un coach dédié. L'équipe qui s'approprie le mieux les mécanismes comportementaux constate une amélioration progressive de ses résultats. À la fin du cinquième tour, l'équipe qui obtient la meilleure performance en termes de revenus, de rentabilité et de qualité, est déclarée vainqueur, sous les applaudissements des participants.

Tous viennent de vivre un moment fondateur d'apprentissage collectif, tant sur des techniques de résolution de problèmes que sur des postures individuelles favorisant la cohésion. La dynamique est créée. Les managers sont prêts à retourner auprès de leurs équipes pour fonctionner autrement.

Mais deux jours de *bootcamp* intense, ludique et rythmé, ne suffisent pas à ancrer de nouveaux comportements dans la durée. Le dispositif mis en place par Sage est impressionnant sur les 12 semaines de déploiement qui suivent. Tous les managers ont un coach en organisation dédié, physiquement présent et totalement immergé au sein des plateaux de télévente. Le coach consacre en moyenne deux heures par jour au manager et à son équipe. Cet accompagnement en forte proximité, basé sur le questionnement, la bienveillance, la dynamique collective et l'exigence en matière de résultats, permet aux managers et leurs équipes de développer tout leur potentiel. En plus des coachs, une deuxième équipe est chargée d'identifier et tester immédiatement toute évolution de processus susceptible d'avoir un impact positif sur les ventes. Une troisième, composée de quelques *data analysts* et *data scientists*, a pour mission la mise à disposition automatique quotidienne des résultats individualisés des ventes, l'analyse des corrélations possibles de performance, la mesure des progrès réalisés.

Pendant ces 12 semaines, chaque lundi, le collectif « *bootcamp* » revient pendant 90 minutes sur un des 10 éléments de management testés. Quelques minutes de théorie et beaucoup de pratique, en prenant des situations rencontrées au cours des jours précédents. Chaque manager déploie ce nouvel élément dans son équipe au cours de la semaine avec l'appui de son coach. Les résultats sont visibles dès la troisième semaine.

De quels « éléments » parle-t-on ? De management visuel, de vision d'équipe, de techniques de résolution de problèmes, de coaching, de gestion du temps pour savoir investir sur des activités qui sont utiles à l'atteinte des objectifs, de célébration des réussites... Rien de révolutionnaire ni de magique.

Les plateaux de télévente de Sage sont transformés : chaque matin, entre 9 h 30 et 10 h 30, le ballet des revues de performance par équipe a lieu. Impossible d'identifier le manager parmi les participants réunis pendant 15 minutes, debout, autour d'un immense écran tactile. L'animation est tournante, sur la base du volontariat. Sur l'écran, le management visuel dédié à l'équipe, renseigné par chaque membre : succès, informations utiles pour la journée, compétitions inter-équipes en cours, résultats individuels de la veille, priorités et objectifs de la journée, humeur de l'équipe… Les problèmes rencontrés sont aussi systématiquement notés. Les trois semaines suivantes sont ainsi consacrées à l'apprentissage des techniques de résolution de problèmes, issues des méthodes d'excellence opérationnelle en œuvre dans l'industrie (Lean). Pour autant les ventes ne décollent pas immédiatement, malgré l'investissement de tous. Il manque encore quelques ingrédients qui arriveront dans les semaines suivantes : une présence plus fréquente sur le terrain du directeur général, la ritualisation de chaque journée et la synchronisation des agendas entre managers, la confrontation des idées lors de routines croisées entre managers, les sessions de coaching individuel avec chaque collaborateur et une meilleure émulation collective.

Ce cas illustre parfaitement les ingrédients nécessaires pour apprendre vite et à l'échelle. Une volonté forte au niveau global de l'organisation, l'envie de faire autrement qui est née lors du *bootcamp*, une vision claire des raisons de changer, des rituels qui sécurisent la montée en puissance des individus et du collectif, le coaching opérationnel des managers, l'implication large permettant de confronter les idées et de grandir ensemble.

Passer d'une culture de l'exploitation à une culture de l'exploration

Comme le montre le cas de Sage, ce que les entreprises cherchent à obtenir est un changement de l'état d'esprit des collaborateurs adapté au défi d'agilité. Contrairement à ce que l'on croit souvent, ce nouvel état d'esprit n'est pas un «*nice-to-have*» qui résulterait spontanément d'un *upskilling* centré sur l'acquisition de compétences par la formation. L'état d'esprit est le cœur du réacteur: c'est en réalité l'objet même de l'*upskilling*.

Nous le résumons par la formule: passer d'une culture de l'exploitation dans un monde connu à une culture de l'exploration dans un monde incertain. Les principales caractéristiques de ce passage sont résumées dans la figure 2. Pour passer de l'exploitation à l'exploration, c'est un ensemble de paramètres d'organisation, de management, de postures, qui sont appelés à être réévalués. Une entreprise qui prend au sérieux les ressorts et les enjeux de la digitalisation est celle qui pense les rouages de son organisation, et l'articulation entre les compétences digitales, les pratiques de travail, l'allocation des ressources et les mécanismes qui permettent de développer collectivement de nouvelles capacités d'apprentissage.

Figure 2 – Passer d'une culture de l'exploitation à une culture de l'exploration

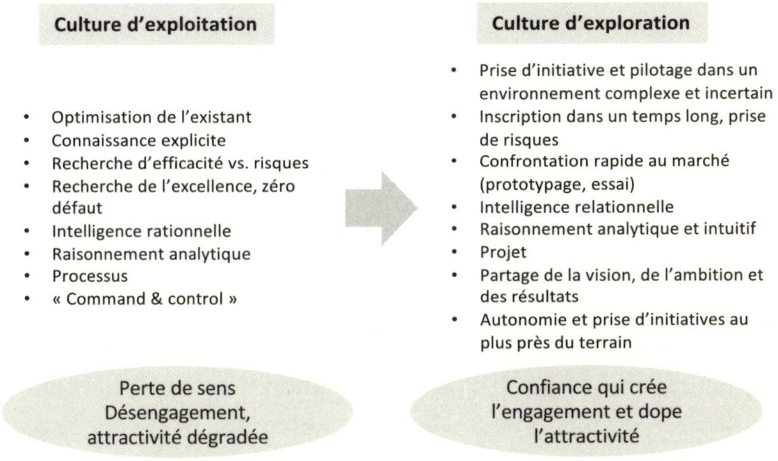

Source: Étude PwC France, «La transition des compétences dans un monde digital», 2019.

Notre conviction est que cette transformation doit être considérée comme *systémique* : elle touche aux valeurs et aux principes directeurs de l'entreprise, et nécessite d'apprendre individuellement et collectivement de manière simultanée, à l'échelle de toute une organisation. C'est un challenge collectif dont personne ne peut se sentir exclu – ni le P-DG, ni le cariste de l'entrepôt.

La dimension temporelle de ce changement de culture ne doit pas être négligée. Mettre en œuvre une culture de l'exploration à partir d'une culture tournée jusque-là principalement vers l'exploitation demande de respecter les temps de latence qui sont nécessaires pour absorber et égaliser des différentiels de compétences. En fonction de la spécificité et difficulté des apprentissages à mener, de l'étendue de la population concernée au sein d'une firme, ces périodes peuvent être plus ou moins longues, mais aussi et surtout, plus ou moins délicates à gérer, quand il s'agit de transferts de connaissances qui nécessitent un redéploiement de ressources devenues rares. Si ces apprentissages de « transition » nécessitent l'intégration de nouvelles ressources, alors il existe un temps incompressible d'adaptation, de formation, d'acculturation, avant que l'entreprise ne puisse bénéficier, à plein régime, d'une capacité élargie qui améliore ses performances. Et, au bout de l'exercice, parvenir à bien lier les deux composantes, exploitation et exploration.

Pourtant, à l'heure actuelle, le défi est bien de parvenir à faire changer à grande échelle et rapidement les entreprises. Croire au miracle individuel du manager passionné et talentueux qui révolutionne à lui seul les modes de travail et fait grandir son équipe risque de se révéler très vite insuffisant face à la nécessité de l'apprentissage accéléré dont les entreprises ont besoin.

Obtenir un tel résultat suppose de nombreuses conditions cumulatives nécessitant une grande attention portée aux détails et beaucoup de rigueur dans l'exécution, aux niveaux des individus, des groupes et des structures. Parmi celles-ci : des dirigeants crédibles, capables de donner l'exemple, en acceptant l'ouverture, la remise en cause et la démonstration de leurs propres capacités d'apprentissage en environnement incertain ; un management *bottom-up* qui ouvre le dialogue, écoute les équipes et suscite l'engagement ; l'ancrage rapide des nouveaux apprentissages dans le quotidien ; le développement de la sécurité relationnelle ; l'acceptation de la confrontation et de la diversité ; une attention renouvelée au design des structures organisationnelles permettant la mise en œuvre effective de ces changements.

En allant à la rencontre de ces entreprises qui apprennent plus vite que les autres, nous avons identifié 10 règles d'or. Une première partie de ces « règles » concerne les modalités de travail au sein des équipes (du point de vue des individus et du collectif), l'autre partie relève des conditions organisationnelles de l'entreprise dans son ensemble. Aucune de ces méthodes ou principes d'action, issus de nombreux courants de pensée, n'est en soi révolutionnaire. C'est leur articulation minutieuse dans un programme d'ensemble déployé à grande échelle qui créera les conditions du changement. Armons-nous d'ambition et de ténacité pour entrer résolument dans le monde de l'*upskilling* à l'échelle, en commençant par découvrir les travaux académiques pionniers ou plus récents qui se sont intéressés à l'organisation apprenante.

2

Aux sources de l'apprentissage organisationnel

Apprendre vite et collectivement. Tel semble être l'impératif et le défi de chaque entreprise aujourd'hui. La mondialisation rapide de tous les secteurs de l'économie des 30 dernières années nous a appris à devenir plus flexibles et agiles, à gérer la complexité, à gérer des risques identifiés et modélisables. Et nous avons cru pouvoir nous passer de la sécurité (coûteuse) de la redondance et du «*slack*»[1]. Cependant, une des conséquences de la transformation digitale, renforcée par les effets de la pandémie de Covid-19, est de nous mettre face au défi d'apprendre à gérer l'ambiguïté (Berger, 2020 ; Berger et Bosetti, 2019 ; Cabantous et Hilton, 2006). Comme l'écrit avec justesse Koenig, les entreprises font face à des «situations labiles» et doivent apprendre à «apprendre en marchant» (2006, p. 295). Il n'est plus simplement question d'accélération et d'intensification des turbulences mais aussi d'une plus grande fragilité de l'environnement et de nos interprétations puisqu'avant tout, c'est bien l'ambiguïté qui augmente, peut-être plus que la complexité.

1. Le «slack organisationnel» désigne les ressources en excès qui constituent le «matelas de sécurité» permettant aux acteurs de garder des marges de manœuvre en cas d'imprévu ou de crise.

Or pour gérer l'ambiguïté, il est nécessaire d'apprendre à apprendre, individuellement et collectivement. Plus que jamais, les organisations font face au paradoxe consistant à « devoir guider leur propre errance » (Koening, 2006). Il n'est plus question aujourd'hui, de se contenter d'un apprentissage fondé sur le repérage et l'exploitation de régularités ; l'urgence est de développer une capacité à analyser les transformations en cours, en repérant les origines parfois lointaines et en élaborant des conjectures et scénarios sur ce qu'elles font et feront émerger.

La situation en 2020 apparaît alors comme le développement d'un mouvement de fond qui n'a cessé de se renforcer pendant plusieurs décennies.

Les entreprises ont toujours été conscientes de la nécessité d'apprendre, pour leurs collaborateurs, leurs équipes et le collectif de travail. Que se cache-t-il derrière ce mot ? Des techniques ? Des savoirs ? Oui, mais aussi (et surtout) des relations et des manières d'organiser le collectif pour générer une dynamique d'apprentissage qui soit ancrée dans les pratiques du quotidien. Apprendre à apprendre, c'est passer d'une vision hors-sol de l'apprentissage comme pure acquisition de connaissances et techniques, à une vision relationnelle de l'apprentissage comme un système de relations et d'interactions, une dynamique d'action collective d'apprentissage, individuel et organisationnel.

Dans ce chapitre et le suivant, nous présentons une perspective généalogique sur l'apprentissage organisationnel. Afin de mieux comprendre comment une organisation peut développer les capacités organisationnelles lui permettant de devenir une *fast learning company*, à tous les niveaux (individu, équipe, organisation), nous revenons sur les grands paradigmes qui ont façonné notre vision actuelle de l'apprentissage organisationnel : la connaissance comme technique, la connaissance comme traitement de l'information et la connaissance comme action collective.

Les prémices de l'apprentissage organisationnel : la connaissance comme technique

Historiquement, le développement des grandes industries manufacturières s'est fait en rupture avec le modèle plus ancien des professions, reposant sur le compagnonnage comme relation de savoir entre un maître et un *apprenti*, formé dans le cadre réglé d'une transmission de savoir directe, fondée sur l'apprentissage de règles générales et du « coup de main » du maître. Le développement de l'organisation scientifique du travail a introduit une rupture forte entre le lieu de la création des savoirs professionnels (le bureau des méthodes, là-haut) et le lieu de prescription (l'atelier, en bas), de même qu'une relation plus distante et épisodique entre les ingénieurs-prescripteurs et les exécutants. Afin de mesurer les progrès faits par les ouvriers et les agents, des ingénieurs, observant les gains de productivité à mesure que les méthodes étaient assimilées, ont développé le concept de *learning curves*, ou courbes d'apprentissage. Dès les années 1930, des études conduites dans le secteur de l'aéronautique montrent l'importance des « effets d'expérience » pour expliquer les gains de productivité liés à la répétition, au-delà des économies d'échelle (Hatchuel, 1994).

Après avoir eu son heure de gloire dans les années 1960 et 1980, après que le Boston Consulting Group s'en est emparé, ce paradigme semble aujourd'hui un peu éculé. Il a pourtant structuré la vision de l'apprentissage au sein des entreprises (notamment industrielles) pendant une longue période, et l'intensification des efforts de production des industries d'armement pendant les deux guerres mondiales en a fait un véritable outil de gestion industrielle (Garcias, 2016). Ce paradigme repose sur une innovation qui reste majoritairement incrémentale, où les innovations de rupture existent mais sont peu fréquentes, et où l'industrie de masse recherche les gains de productivité dans les économies d'échelle et les effets d'expériences.

On reconnaît ainsi la vertu du « *learning by doing* », d'un apprentissage intra-organisationnel et de transfert de connaissances reposant sur la pratique et l'expérience (Wright, 1936), dans un environnement suffisamment stable pour que la répétition engendre des gains de productivité durables. Armand Hatchuel, professeur à Mines ParisTech, propose une relecture originale de l'histoire de ces courbes d'apprentissage. Si les courbes d'apprentissage produisent bien les effets escomptés en termes de gains de productivité, c'est moins du fait d'une meilleure organisation (fondée sur la science et la méthode) des relations verticales de prescription entre l'ingénieur du bureau des méthodes et l'ouvrier, mais en raison des relations d'échanges entre le prescripteur et l'exécutant qui permettent l'ajustement de la méthode, les discussions autour du processus, qui enrichissent autant le concepteur des règles que celui qui doit les mettre en œuvre. Une fois le processus stabilisé, le temps standard de référence fixé, la dynamique d'apprentissage mutuel tend à s'appauvrir, le dialogue est moins vif, moins fréquent, moins riche. La courbe d'apprentissage atteindra un palier au-delà duquel la progression ne sera plus possible, si on ne réenclenche pas une dynamique d'échanges nouvelle. On voit la limite du système de l'Organisation Scientifique du Travail (OST) : ne pas avoir été au bout de la logique en pensant au processus d'amélioration continue.

Ce qu'il faut retenir, c'est que même dans le cadre apparemment très technique, impersonnel et *top-down* de l'OST, on identifie une dynamique d'apprentissage qui est déjà collective et relationnelle.

La connaissance comme traitement de l'information

On doit à Herbert Simon d'avoir, le premier, suggéré que les organisations productives, au même titre que les individus, pouvaient acquérir et développer des compétences propres.

Simon a reçu en 1978 le Nobel d'Économie pour ses travaux sur la rationalité limitée, issus de recherches au croisement de la science politique, de l'économie, de la sociologie, dont l'objet est l'étude du comportement humain et des processus de prise de décision. Il soutient que, loin de maximiser en permanence leurs choix et de rechercher la solution optimale, les individus tendent à arrêter leur choix sur la solution qu'il juge la plus satisfaisante *compte tenu de leur situation à eux, et compte tenu des informations dont ils disposent.*

La compréhension de la rationalité limitée a ouvert la voie à de nouvelles façons de regarder le management et le travail. Tenir compte de la rationalité limitée, c'est comprendre pourquoi tel agent prend telle décision et non celle qui semblerait la plus rationnelle dans une situation pure et parfaite, en considérant l'intelligence de situation des acteurs, c'est-à-dire leur capacité à ajuster leurs stratégies en fonction des ressources et des contraintes dont ils disposent réellement, à un moment donné.

Ces travaux ont été développés dans les années 1950-1960, et sont contemporains des prémices de la cybernétique et des théories systémiques de l'information. Dans cette perspective, la connaissance est considérée comme une information, c'est-à-dire un ensemble de données traitées, sélectionnées, analysées et ordonnées. L'organisation productive peut alors être considérée comme un système de traitement de l'information, qui permettrait aux individus, dont la rationalité est effectivement limitée, de bénéficier des meilleures informations/ connaissances possible pour prendre de meilleures décisions. Ce paradigme s'est développé pendant la période où prospèrent les grandes technostructures, où les bureaucraties se structurent par la mise en place de systèmes d'information et de routines, essentielles au traitement de l'information et à la production de connaissances. À ce moment, émerge la possibilité d'une « cognition collective » conçue comme un système d'acquisition, d'agencement, de stockage et d'utilisation d'informations (Koening, 2006). C'est à partir de ces travaux qu'ont été développées les recherches mettant en avant le rôle des routines et des processus qui génèrent une dynamique de production de connaissances.

Il est alors nécessaire de regarder le fonctionnement des mécanismes cognitifs collectifs qui rendent possible cette dynamique d'apprentissage.

Les routines : lien entre individuel et collectif, et entre savoirs et pratiques

Les routines constituent un lien entre savoir et pratique, et entre les individus et les collectifs au sein d'une organisation (March & Simon, 1958 ; Nelson & Winter, 1982). Elles constituent des répertoires de connaissances, adossées à des pratiques, et activées en fonction des contextes. Les routines sont des connaissances passées dans l'ordre du tacite. Elles peuvent être source d'inertie – quand on ne prend jamais de recul ou que l'on oublie de s'arrêter pour y jeter un regard réflexif – mais aussi source de créativité comme on le verra au chapitre 3. Les acteurs s'emparent des routines et souvent leur imposent de légères modifications, voire en « oublient » certaines.

Le modèle SECI de Nonaka et Takeuchi : rendre visible les connaissances tacites

Bien souvent, pour que l'entreprise soit un lieu d'apprentissage *génératif*, il faut qu'un mécanisme permette de rendre explicite un ensemble de savoirs, connaissances, voire compétences qui restent cachées – tacites, si l'on reprend l'expression d'abord utilisée par Polanyi (Baumard, 1999) et reprise ensuite dans le modèle de gestion des connaissances célèbre de Nonaka et Takeuchi (1995). L'apport du modèle SECI pour le management des connaissances est de mettre en avant un processus cognitif collectif au sein de l'entreprise qui articule les trois niveaux de l'individu, du groupe et de l'organisation.

Figure 3 – Le modèle SECI de Nonaka et Takeuchi

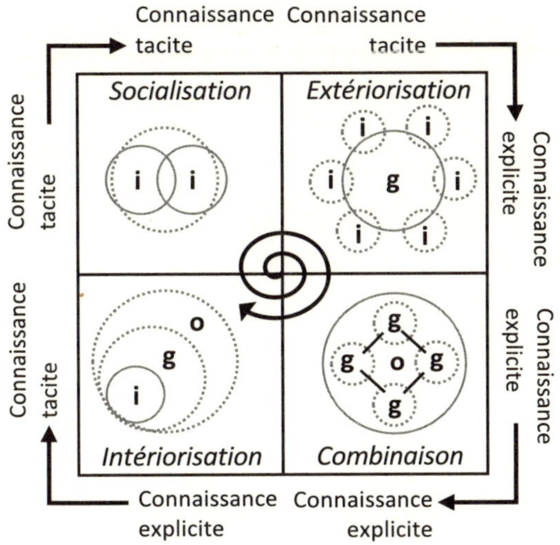

***Légende → i** : individu ; **g** : groupe ; **o** : organisation*

Ce modèle montre comment l'entreprise peut générer des connaissances nouvelles en jouant sur les dimensions tacites et explicites des connaissances, en mettant en œuvre une dynamique vertueuse qui va d'abord chercher à mettre au jour (étape de l'externalisation) des connaissances qui restaient « tacites » dans les processus quotidiens de socialisation, pour ensuite chercher à combiner ces connaissances, les réarticuler, les augmenter ou les raffiner peut-être, avant de les réinternaliser, c'est-à-dire de les renvoyer dans l'ordre du tacite. Ainsi, la mise en place de processus de coaching professionnel (voir Partie 2, Règle n° 5) soit entre pairs, soit entre juniors et seniors, est une façon de lancer cette dynamique de circulation et productions de connaissances, afin de réinterroger et renforcer ses compétences et capacités d'action.

Dans ce cadre, la pratique systématique du *test-and-learn* (le fameux « droit à l'erreur », voir Partie 2, Règle n° 4) et le retour réflexif sur les échecs constituent un tremplin pour améliorer les compétences et les savoirs.

Figure 4 – Expérience et expérimentation

Apprentissage tourné vers…	
La gestion de l'expérience	**L'intelligence de l'expérimentation**
Accumulation positive	Réflexivité constructive
Diffusion de savoirs durables	Interfaçage de compétences transitoires

Source : D'après Koenig, 2006, p. 296.

Une organisation qui met en place un management efficace de ces processus d'expérimentations et essais-erreurs (Bateson, 1972) est une organisation qui apprend à apprendre, et se trouve mieux préparée à gérer l'ambiguïté et les paradoxes (Smith & Lewis, 2011).

La connaissance comme action collective

La crise des années 1970 a mis à mal les modèles d'apprentissage dans et de l'organisation fondés sur une vision technique ou cybernétique de la connaissance. L'intérêt croissant pour l'innovation accompagne la fin de l'ère de l'industrie de masse et le développement de nouveaux modèles économiques. De manière concomitante, les recherches académiques vont mettre en évidence, dans les travaux émergents sur l'innovation, *la dimension fondamentalement sociale et relationnelle de la production de connaissances* et des dynamiques d'apprentissage. C'est un changement de paradigme qui s'opère. De ce virage, sont issus la majorité des travaux qui abordent les différentes facettes de l'apprentissage organisationnel aujourd'hui.

Gregory Bateson et les quatre niveaux d'apprentissage

Gregory Bateson est l'auteur à la racine de ce tournant. Dans son livre *The Steps to an Ecology of Mind* (1972) il distingue quatre niveaux d'apprentissage en fonction du type d'erreur corrigée et précise la nature des connaissances et des capacités individuelles et collectives qui vont être développées à cette occasion.

Le niveau 0 de l'apprentissage désigne les cas où la réception d'un stimulus défini va provoquer une réponse identique, ou stéréotypée. C'est le cas par exemple d'un réflexe. En mettant la tête sous l'eau, on ferme les yeux. Quand on a la sensation d'être rassasié, on arrête de manger. En entendant le carillon de l'église du village, on apprend que l'on entame une nouvelle heure.

L'apprentissage commence réellement avec **le niveau 1**. Il consiste à choisir une réponse parmi un ensemble défini et stable de possibilités et à ajuster sa réponse par un processus d'essais-erreurs, en prenant en compte les éléments du contexte. Ainsi, quand un médecin procède au diagnostic d'un malade, il commence par identifier à quelles maladies peuvent correspondre l'ensemble des symptômes évoqués par le patient, et en raffinant ses questions et son examen, en l'absence de signes troublants ou contradictoires, il va poser un diagnostic dans le cadre des pathologies identifiées en premier ressort. De même, en mettant la tête sous l'eau, on peut avoir le choix de garder les yeux fermés ou de les ouvrir en allant contre le réflexe premier : quand on apprend à nager, on apprend à ouvrir les yeux quand il faut par exemple aller chercher un objet au fond de la piscine ou quand on approche du bord de la piscine. En revanche si l'on veut s'immerger pour se mouiller la tête, profiter de la sensation d'être entouré d'eau, se détendre, alors on peut choisir de garder les yeux fermés. Les deux exemples témoignent de l'acquisition de connaissances (lier des symptômes à une ou plusieurs maladies ; savoir que l'eau n'est pas dangereuse pour les yeux), de compétences (poser un diagnostic ; se mouvoir dans l'eau en ayant la tête immergée).

Au niveau 2, l'apprentissage porte sur la modification de l'ensemble des possibilités, la révision du cadre dans lequel l'apprentissage se fait habituellement. C'est le processus d'apprentissage qui change : on apprend à apprendre. Ainsi, un sportif qui subit une blessure grave doit apprendre à réapprendre son sport, la manière de sentir et gérer son corps, chaque mouvement même. La danseuse étoile Aurélie Dupont se blesse à l'articulation du genou six mois après sa nomination comme étoile. Après plusieurs opérations et rééducations classiques (renforcer la musculature, retrouver la flexibilité de l'articulation blessée), elle se rend compte qu'elle est dans une impasse et change de cadre : « *Alors j'ai réinventé ma danse. J'ai changé tous mes appuis : je ne me suis plus servi de mon genou droit, mais de mes chevilles, de mes pieds, de ma hanche, de mes bras, de mon dos, de la musique, du rythme*[1]. »

Une entreprise veut entrer sur un marché où les concurrents semblent habitués à une logique de compétition par les prix, utilisant une veille concurrentielle systématique sur les prix et caractéristiques des produits. Pour trouver une place sur ce marché, la firme pourra soit choisir de rester dans le cadre de cette concurrence par les prix et tenter par essai-erreur de trouver le bon couple prix-produit. Ou choisir de sortir du paradigme de concurrence par les prix et trouver un « océan bleu » (Kim *et al.* 2005) permettant d'éviter la concurrence frontale. Par exemple, le Cirque du Soleil est célèbre pour avoir créé un nouvel espace stratégique dans le monde du Cirque en se concentrant sur la dimension artistique et acrobatique d'un spectacle de cirque, en abandonnant le recours aux animaux et aux artistes star, au profit de la création de spectacles à thème uniques et à haute valeur ajoutée artistique. Une stratégie d'épuration qui permet de se recentrer sur un attribut essentiel d'un produit permet ainsi de baisser considérablement le prix pour le client sans pour autant réduire la marge finale.

1. Entretien au journal *Le Monde*, 25 juin 2017, disponible au lien suivant : www.lemonde.fr/festival/article/2017/06/25/aurelie-dupont-pina-bausch-m-a-sauvee_5150701_4415198.html.

Le niveau 3, enfin, porte sur le sens donné aux changements de cadres et paradigmes qui se produisent à ce niveau. En changeant radicalement sa technique de danse, Aurélie Dupont change également son rapport à la danse, sa vision de la danse. Après s'être construite comme technicienne, cette « réinvention » a parachevé la transformation de la vision d'elle-même qu'avait Aurélie Dupont en *artiste* à part entière. Le niveau 3 correspond ainsi à un processus de « réorganisation profonde du caractère » (Bateson, 1972). Pour une firme, cela peut signifier le changement d'une culture organisationnelle et d'un rapport au monde. Une entreprise qui aurait eu l'habitude des stratégies concurrentielles de domination d'un secteur précis, et qui se verrait menacée par l'arrivée de concurrents qui déstabilisent le secteur en ouvrant ses frontières, peut réaliser une telle conversion en devenant une firme-plateforme (Cusumano et Gawer, 2002). Au cœur d'un écosystème de « partenaires » qui fournissent un ensemble de produits et services interdépendants, la firme-plateforme contrôle et met en relation des « complémenteurs », et tente ainsi de capturer un maximum de la valeur produite et d'être le point de passage obligé pour les participants à cet écosystème.

Le changement de paradigme introduit par Argyris et Schön : la double boucle réflexive

Cette conception systémique et logique des processus d'apprentissage est au fondement des travaux pionniers d'Argyris et Schön qui, en 1974 et 1978, publient deux ouvrages développant une théorie de l'agir organisationnel efficace et des logiques d'apprentissage qui permettent à l'entreprise de se développer et d'agir mieux et plus efficacement.

Le point principal de ces travaux est de mettre l'accent sur le nécessaire développement d'une capacité d'apprentissage relevant *a minima* du niveau 2 de la théorie de Bateson, c'est-à-dire la capacité à changer le cadre d'analyse, faire varier les hypothèses de départ.

Leur théorie est célèbre pour la mise en évidence de deux mécanismes d'apprentissages distincts : l'apprentissage simple boucle et l'apprentissage double boucle.

Figure 5 – Les mécanismes d'apprentissage simple et double boucle chez Argyris & Schön (1978)

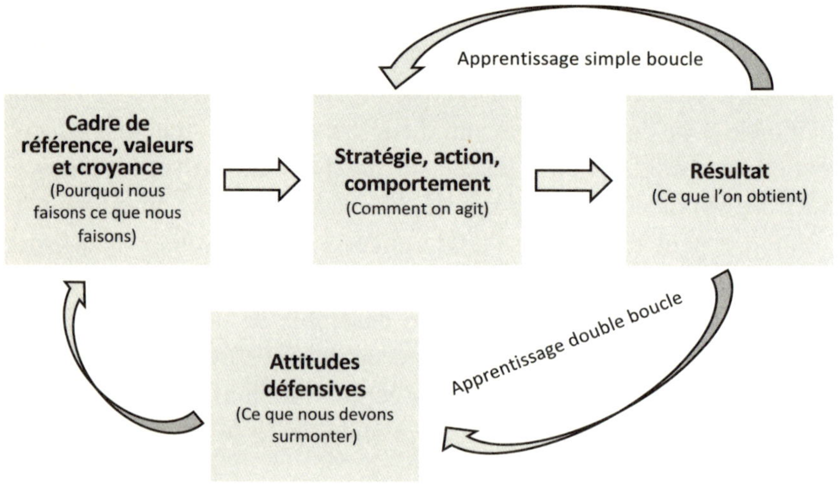

La boucle simple permet un apprentissage de niveau 1 (Bateson, 1972) : on apprend en analysant le décalage entre l'attendu de l'action et ses résultats, les connaissances évoluent à la marge, tandis que le cadre existant, les hypothèses, valeurs, croyances sous-jacentes, restent identiques. Cela correspond aux activités de retour d'expérience qui sont importantes dans les processus d'amélioration continue (Enlart, 2018). Dans certains cas, on l'a vu, cela ne se révèle pas suffisant. Les changements de cadres et de paradigmes, qui peuvent être anticipés (quand Free innove avec la première Box Internet, TV, téléphone) ou subis (comme lorsqu'une pandémie survient) imposent un apprentissage d'un ordre différent, de type 2 voire 3. Cela correspond à l'apprentissage en double boucle. L'apprentissage amène à changer les repères, le système de valeurs et les axiomes de départ. Il s'agit d'apprendre à apprendre. Il n'est pas évident de mettre en œuvre des moyens nécessaires à la pratique de cette réflexivité organisationnelle, qui nous semble pourtant le point de départ fondamental et la condition *sine qua non* d'une capacité de résilience organisationnelle. Ainsi Netflix était à sa création (en 1997) une entreprise de location de DVD par correspondance, fonctionnant avec un business model différent de ses concurrents. Le client payait un abonnement correspondant à un nombre de DVD qu'il pouvait garder chez lui autant de temps qu'il le souhaitait. Pour en avoir un nouveau, il suffisait d'en renvoyer un dans une enveloppe prépayée. Aujourd'hui, Netflix est devenu une plateforme de streaming et un producteur de contenus télévisuels et cinématographiques de premier plan ! Le changement de vision a nécessité la remise en cause, à plusieurs reprises, de ce qui constituait le cœur de l'activité et des potentialités de développement de l'entreprise. Si le passage à un modèle de distribution numérique, lié à l'essor de l'Internet mobile et au développement des capacités de connexion des individus, ne constitue pas un changement fondamental de la mission originelle de l'entreprise (distribuer les bons contenus de la manière la plus économique et rapide possible), l'entrée sur le marché de la production de séries puis de films cinématographiques a, en revanche, constitué une remise en question profonde de l'identité de la firme.

Figure 6 – Les apprentissages à simple et double boucle

Apprentissage à simple boucle	Apprentissage à double boucle
• COMMENT ? • Modèles mentaux existants • Adaptation du comportement • Opérationnel • Routinier • Améliore l'existant • Renforce l'organisation existante	• POURQUOI ? • Nouveaux modèles mentaux • Changement cognitif • Stratégique • Non routinier • Source d'avantage concurrentiel • Suscite un changement d'organisation

De telles transformations nécessitent d'avoir des « praticiens réflexifs » pour reprendre l'expression de Schön (1983) mais aujourd'hui, l'urgence est de développer cette capacité réflexive dans la cascade organisationnelle. Or, ce n'est pas un processus qui va de soi dans un certain nombre de firmes – par manque de temps, par peur de la direction d'apparaître faible ou pas en contrôle du cours des choses, par manque d'habitude ou incertitude sur le « comment ? ». Au-delà des temps individuels de formation, du droit à « l'étonnement » et à « l'erreur » – qui restent là encore du ressort de l'individu –, comment mettre en œuvre des situations de travail apprenantes ?

Les visions systémiques

Cette dimension proprement organisationnelle et systémique constitue la thèse défendue par Senge, auteur d'un ouvrage qui a donné naissance à une école de pensée autour de l'entreprise apprenante : *La cinquième discipline : l'art et la pratique de l'organisation apprenante* (1990). La dimension systémique implique de créer des liens entre les niveaux individuels et structurels de l'organisation, afin que les collaborateurs à tout niveau gardent une vision des situations d'ensemble et soient en capacité de produire de nouveaux modèles de pensée (Enlart, 2018). Ceci oriente vers des « *connaissances résultant d'un apprentissage génératif tournées vers le futur et permettant de développer des innovations* » (Mahmoud-Jouini, 2004, p. 231).

Cette même approche systémique est également au fondement du modèle de Gestion et Circulation des Savoirs (GCS) développé par Jean-Pierre Bouchez (2016). Ce modèle repose sur les interactions dynamiques entre, d'une part, une logique de structuration/socialisation des savoirs (synthétisant ainsi les approches de *knowledge management* et les approches fondées sur les communautés de pratiques) et, d'autre part, une logique de flux et stockage des savoirs. Ce cadre structurant permet d'identifier quatre idéaux types pour la gestion des savoirs dans les organisations, et aux entreprises de réfléchir aux conditions permettant de faciliter le déploiement d'un dispositif adapté.

L'apprentissage comme action collective

Mais n'est-il pas illusoire de rechercher une organisation qui soit apprenante *per se* ? C'est le postulat au fondement des travaux développés par les équipes de recherche du CGS (Mines-ParisTech) et du CRG (École polytechnique). L'organisation en elle-même n'est pas, et ne peut pas être un sujet connaissant. En revanche, les « *apprentissages individuels se conditionnent mutuellement au travers des systèmes de relations et du mode de construction des acteurs* » (Hatchuel, 1994, p. 110). L'apprentissage organisationnel nécessite de comprendre les relations organisationnelles qui permettent la mise en interaction des apprentissages (prescriptions, évaluations, règles, connaissances) ; le savoir produit au niveau de l'organisation dépend des interactions dont dépendent les trois dimensions de l'apprentissage organisationnel : savoir *faire*, savoir *comprendre* et savoir *combiner*. C'est dans cette troisième modalité, le savoir combiner, que réside la capacité de conception et d'innovation d'une entreprise. Dans cette perspective : « *L'apprentissage organisationnel n'est donc pas la production d'un savoir collectif attribuable à l'organisation, il est simplement la dynamique collective qui résulte des capacités cognitives des acteurs, capacité qui interagissent dans un système de relations, mais aussi en prenant ce système de relations pour objet de connaissance et d'action* » (Hatchuel, 1994, p. 135).

Dans la ligne de ces travaux qui insistent sur la nécessité de comprendre les systèmes relationnels à la base des dynamiques d'apprentissage collectif, le développement du paradigme de l'innovation ouverte (plus souvent connu sous le nom d'*open innovation*) pousse la logique encore plus loin, en rendant la capacité d'innovation dépendante de la capacité de la firme à nouer des contacts et des mécanismes de collaboration avec des entités qui lui sont extérieures.

L'apprentissage peut se faire par acquisition d'entreprise ou par *joint-venture* : dans le cadre de l'ouverture à la concurrence du ferroviaire régional, le partenariat entre RATP Dev et la maison-mère d'Eurotunnel repose sur la complémentarité des deux acteurs, l'un spécialisé dans l'exploitation du transport de voyageurs, l'autre dans l'exploitation d'infrastructures de mobilité.

Les frontières deviennent poreuses et l'apprentissage se fait à l'interface de ces coopérations avec des entités dont les fonctionnements entrent nécessairement en friction avec celles de la firme. Henri Chesbrough analyse la transformation de la dynamique d'innovation impulsée avec l'arrivée de *start-ups* innovantes qui bouleversent les marchés traditionnels et font peser sur les grandes entreprises traditionnelles le risque de l'enfermement et de la myopie stratégique. Ainsi :

> « L'innovation ouverte a été initialement envisagée et mise en œuvre comme des collaborations entre deux organisations afin d'ouvrir le processus d'innovation interne. Cependant, nous voyons aujourd'hui de nombreux cas dans lesquels il est fait référence à ce concept pour orchestrer un nombre important d'acteurs qui jouent de multiples rôles dans le processus d'innovation. »
>
> Chesbrough, 2012, p. 26, traduction Albéric Tellier et Thomas Loilier.

Le développement de nouvelles compétences en matière d'innovation passe donc à la fois par la capacité à exploiter des sources d'innovation (connaissances, brevets, compétences) disponibles à l'extérieur de l'entreprise, mais aussi à valoriser des productions d'innovation que l'on décide de ne pas exploiter en interne.

Ces premiers éléments nous montrent toute la difficulté et la subtilité du passage du *knowledge*, conçu comme une ressource, un élément identifiable et tangible, au *knowing*, conçu comme un processus continu qui infuse les niveaux de l'organisation et s'articule entre les individus, les équipes et les structures. Différents courants de recherche permettent de mettre en lumière ce que recouvrent ces dispositifs de « knowing » au sein des firmes.

3

La fabrique de la « *learning company* »

Dans les années 1990, les recherches autour de l'apprentissage organisationnel prennent un nouveau tournant, en s'articulant au paradigme de la créativité et de la création de connaissances. Ces travaux mettent l'accent sur les conditions spatio-temporelles, psychologiques et organisationnelles qui permettent de développer la créativité individuelle et collective, à travers la mise en œuvre de nouvelles relations dans des contextes sécurisants et stimulants.

Le temps et l'espace de la *learning company*

Les deux dernières décennies ont été marquées par une transformation spatio-temporelle qui affecte profondément les mécanismes d'apprentissage dans les organisations : accélération temporelle (rythme du quotidien, rotation des équipes et collaborateurs dans et hors de l'entreprise) et virtualisation des espaces de stockage, ont des conséquences majeures sur la « mémoire organisationnelle ». Pour beaucoup d'entreprises qui, aujourd'hui, doivent mettre en cohérence leurs systèmes d'information et leurs procédures pour déployer des stratégies omnicanales et des *supply-chains* agiles, l'émiettement des systèmes d'archivage est l'ennemi numéro un. Or, historiquement, les filiales, les directions, les services, ont le plus souvent développé des systèmes spécifiques, et l'arrivée de solutions virtuelles n'a que rarement eu d'effet sur la dispersion des pratiques et des usages. Les systèmes de «*cloud*» et la disponibilité des données massives révolutionnent la manière dont les entreprises envisagent le stockage, l'accès et la disponibilité des données. Des données nombreuses mais dont l'accès n'est pas intuitif ou transparent, des procédures formelles claires mais qui ne sont pas incarnées et appropriées, ne permettront pas aux acteurs de développer des apprentissages ancrés ni de transmettre les savoirs et savoir-faire acquis. De même, le passage rapide des collaborateurs, à un poste donné, peut avoir deux types d'effet. En un sens, il peut favoriser la création de nouveaux liens interpersonnels, élargir la toile des connaissances et relations de l'équipe, en lui apportant ainsi un potentiel d'innovation. Mais le risque est de ne pas concrétiser ce potentiel, en ne laissant pas le temps aux acteurs et projets de se développer et de produire les innovations espérées, par manque d'ancrage.

On voit bien que les organisations naviguent toujours entre deux eaux – d'une part, la peur d'une vision conservatrice, avec un « ancrage spatio-temporel » trop fort qui conduit à l'inertie et augmente la probabilité de certains biais décisionnels (ne réfléchir qu'en fonction de schémas cognitifs bien établis et ne pas percevoir les signaux faibles annonçant un changement de paradigme) ; et, d'autre part, les conséquences des trajectoires éclair des profils prometteurs, qui peuvent apporter de la fraîcheur, des idées et un regard neufs, mais avec le risque également de réinventer la roue. Anne Janand et Amélie Notais (Université Paris-Sud) ont mis en évidence à quelles conditions la mobilité professionnelle interne est source d'apprentissages (voir focus).

Focus ◆ À quelles conditions une politique RH peut-elle concilier mobilité interne et apprentissage collectif ?

La mobilité interne est source de différents types d'apprentissages. Elle favorise la diffusion des connaissances entre les sites dispersés d'une organisation. Elle engage les individus dans une dynamique d'ajustements, d'essais-erreurs et d'adaptation, permettant de faire évoluer les pratiques et les habitudes. Dans le cas où cette mobilité interne induit un changement de métier, l'adaptation passe alors par l'acquisition de nouvelles connaissances, de nouveaux savoir-faire.

Cela peut conduire à des apprentissages de type 2 dans le référentiel de Bateson :

« *La mobilité interne permet parfois un changement de cadre de référence qui favorise la réflexivité et la remise en cause des pratiques et des schémas mentaux habituels. Elle favorise alors l'acquisition de nouvelles pratiques. […] elle offre l'opportunité à l'individu de prendre un nouveau départ et de modifier un comportement parfois difficile à changer compte tenu des habitudes prises, des relations établies avec les collègues ou de la hiérarchie. La mobilité semble permettre de sortir d'un cercle vicieux de l'obstination dans l'erreur et favorise la remise en cause des pratiques et modèles habituels, grâce au changement de rôle. […] La capacité d'apprentissage de type 2 s'avère déterminante dans la réussite des mobilités de reconversion.* » (p. 74-76)

Enfin, la mobilité interne permet parfois un changement de représentation de soi. Changer de rôle permet alors de mieux se connaître.

Ces apprentissages individuels sont vecteurs d'apprentissages collectifs dans la mesure où l'organisation bénéficie des interactions nouvelles créées par les mobilités internes et des nouvelles connaissances des individus. Cela demande une politique RH qui soit sécurisante et qui permette d'accompagner les individus mobiles dans les moments où les situations de « désapprentissage » peuvent être difficiles à vivre. C'est au niveau de l'organisation qu'il convient de mettre en œuvre une politique RH et managériale attentive aux « *mesures d'accompagnement des mouvements internes et notamment des mobilités qui induisent des changements de métier importants. Il semble alors essentiel à la direction ressources humaines et/ou aux managers d'accompagner ces transitions professionnelles en établissant un droit de retour, explicite ou implicite. Ce dernier sécurise la prise de risque et rassure le salarié qui envisage une mobilité* » (p. 82).

Les différents types d'apprentissage générés par la mobilité interne doivent encourager les gestionnaires de carrière à promouvoir les mobilités internes audacieuses, et ne pas avoir peur des mobilités originales qui peuvent être porteuses « d'apprentissage-révolution » (niveau 3 de Bateson) hors des filières classiques ou chemins préétablis, surtout dans le cas où l'entreprise souhaite développer son potentiel d'innovation.

Source : Anne Janand et Amélie Notais (2017). « Apprendre en bougeant », *@GRH*, n° 25, n° 4, p. 61-87.

Le rôle des communautés de connaissance et le défi des « *new ways of working* »

Les travaux du courant de l'anthropologie sociale du savoir qui ont décrypté les mécanismes de l'apprentissage collectif au sein des organisations ont tous mis en avant le rôle fondamental des « espaces-temps » qui permettent de générer de nouvelles formes de relations et d'interactions, et par là de nouveaux savoirs. Les travaux sur les communautés de connaissances (Lave et Wenger, 1991 ; Brown et Duguid, 1991, 1998 ; Cohendet *et al.* 2003 ; Amin et Cohendet, 2004) et sur les apprentissages collectifs et dynamiques de conception (Hatchuel, 1994) partagent une vision de l'apprentissage organisationnel comme reposant, fondamentalement, sur *le couplage entre des savoirs et des relations*. Si l'organisation doit devenir *apprenante*, c'est-à-dire être en mesure de s'adapter en continu, d'innover à un rythme soutenu, de produire de nouvelles connaissances et savoir-faire, et les combiner de manière ingénieuse et innovante, alors il lui faut modifier les *relations* en interne et en externe. Le point fondamental et commun de toutes les recherches qui se sont éloignées de la vision technique et aride du *knowledge management* a été de mettre l'accent sur les conditions et les contextes organisationnels et relationnels nécessaires pour créer de nouvelles connaissances.

Quel contexte relationnel et organisationnel créer pour créer de nouvelles connaissances ? Le principe des *communautés de connaissance* est de s'affranchir des niveaux hiérarchiques et des mécanismes traditionnels de structuration organisationnelle, dans l'optique de satisfaire un besoin partagé d'apprendre, de transmettre voire de créer de nouvelles connaissances. Ces communautés jouent un rôle fondamental dans la construction du sens et de la mémoire et sont gouvernées par des systèmes de confiance et de réputation (Hussler et Burger-Helmchen, 2019).

Ces modalités organisationnelles reposent sur des formes auto-organisées dont l'objectif est de venir combler les failles des systèmes organisationnels classiques : trouver des solutions qui sortent des sentiers battus et résoudre des problèmes pouvant émaner des directives contradictoires venant de la direction, prendre en charge les novices et assurer la transmission d'expertises et connaissances tacites, entretenir une mémoire collective par des routines, et créer une atmosphère de travail agréable par le partage de passions communes, la création de rites et d'histoires de la « communauté ». Bien entendu, le côté sombre de ces communautés peut être les jeux de pouvoir qui s'y jouent et le risque de voir partir certaines d'entre elles en roue libre, de se détacher des missions et objectifs fondamentaux de l'organisation. Pour autant, ces communautés de connaissances sont des espaces incontournables pour susciter une dynamique d'innovation. Ainsi, dans la poursuite de ses travaux sur les processus de création et circulation des connaissances, Nonaka a proposé le concept de *Ba* (Nonaka *et al.* 2000) pour désigner un espace-temps provisoire où des participants en interaction vont partager un contexte, vont confronter leurs visions du monde et créer de nouvelles significations, connaissances et combinaisons de savoirs.

Ces questions, qui ont fait l'objet de travaux détaillés dans les années 1990 et la première décennie du XXIe siècle, se trouvent confrontées à l'émergence de nouvelles modalités de travail qui imposent de jeter un regard nouveau sur ces dynamiques collectives. De nombreuses recherches (synthétisées par Aroles *et al.* 2019) donnent un panorama des modes spatio-temporels et des enjeux sociopolitiques posés par ce que l'on a désormais coutume d'appeler les « *new ways of working* ». Le développement des tiers-lieux, du *flex-office*, de la « *gig economy* », la normalisation du travail nomade, pourrait suggérer que les pratiques s'inspirent de plus de ces logiques de communautés autonomes, collaboratives et entrepreneuriales, dans le contexte d'une remise en question profonde de la pertinence des grandes bureaucraties.

Plusieurs tendances s'observent : de nouveaux arrangements spatiaux (espaces de *coworking*, *hackerspaces* et *fablabs*, « *hotdesking* ») et de nouveaux arrangements temporaires (plateforme de *crowdsourcing*, plateformes de *freelances*, alternance entre des périodes de contrats salariés et des périodes en indépendant…). Si ces tendances renforcent les capacités d'adaptation et l'autonomie des individus qui entrent dans le jeu de la flexibilité et du nomadisme, elles posent aussi la question des coûts cachés humains et organisationnels à moyen terme, notamment pour les conditions de création de connaissances et de développement d'apprentissages collectifs. Ainsi, la pratique du « *hot-desking* » (ne pas avoir de bureau fixe et réserver chaque jour de présence un espace libre, comme en bibliothèque) a certes le mérite de réduire significativement les coûts de l'immobilier d'entreprise et peut permettre de provoquer des rencontres inattendues, mais elle peut également augmenter les coûts de coordination entre collègues pour travailler physiquement ensemble, sans passer par une lourde planification, et rendre peu accueillant un espace de travail commun, dépersonnalisé, sans point de repère fixe – je sais où trouver Marc pour lui demander un coup de pouce, j'ai identifié le plus court chemin vers les toilettes, en évitant de passer devant Antoine, incorrigible bavard, etc.

De même, le passage au tout-digital et à la connexion permanente peut s'accompagner d'un sentiment d'isolement et de désincarnation, comme certaines personnes en télétravail en ont témoigné durant le confinement lié au Covid-19. Si les pratiques collaboratives peuvent se virtualiser en partie, le contact et les interactions physiques permettent d'entretenir une communication plus riche et porteuse de sens.

Bon nombre d'entreprises se trouvent à cette jonction : comment repenser les tâches et les activités dans le monde de demain ? Comment identifier les connaissances qu'il va falloir valoriser et renforcer ? Celles qui doivent être oubliées ? Où chercher le renouvellement des pratiques, savoirs, savoir-faire et comment combiner ces connaissances ?

Le rôle central des interfaces organisationnelles : de l'importance des routines, des « passeurs » et du design organisationnel

Les routines, on l'a vu au chapitre 2, ont été mises en avant comme un mécanisme cognitif collectif faisant le lien entre savoir et pratique, et entre individus et collectifs. Elles constituent des répertoires de connaissances, adossées à des pratiques, et activées en fonction des contextes. Elles peuvent être source d'inertie, le danger consistant à s'accrocher à des routines par facilité, à identifier une compétence ou un savoir-faire comme central et stratégique, sans percevoir qu'un changement du contexte concurrentiel ou socio-économique en fait une source de rigidité qui peut s'avérer mortifère. Mais elles sont aussi source de créativité quand les acteurs s'en emparent. Les travaux de Dorothy Leonard (1995), professeure à Harvard, ont montré que la constitution des réservoirs de connaissances (au niveau des individus, des communautés et systèmes techniques) devait s'accompagner de mécanismes de contrôle et d'activation des connaissances, et surtout de processus réguliers d'évaluation de ces connaissances pour limiter les rigidités et favoriser le développement de nouvelles connaissances adéquates aux évolutions de l'environnement. Ce processus d'adaptation et de renouvellement requiert la mobilisation d'expertises transdisciplinaires, de pratiques d'expérimentations et la confrontation avec des idées externes.

Quels sont les acteurs susceptibles de créer cette dynamique de renouvellement? Comment s'opère le couplage fondamental entre savoirs et relations? Comment favoriser les interactions entre communautés existantes ou en susciter l'émergence?

Différentes recherches ont mis l'accent sur le rôle des «passeurs» de connaissances: «*cultural brokers*», «*knowledge angels*», «*gatekeepers*» sont au fondement de nouvelles capacités dynamiques de la firme dans la recherche de l'avantage concurrentiel.

Leur rôle est de contribuer à développer une *capacité d'absorption*, consistant à recombiner les connaissances externes et les connaissances internes, à faire circuler les connaissances dans l'organisation et à créer les conditions pour qu'elles soient comprises, assimilées, et potentiellement combinées avec les connaissances déjà présentes. Ainsi, il ne s'agit pas simplement d'identifier et localiser les «bonnes connaissances», mais d'assurer les conditions de leur transfert et de leur traduction afin que la greffe prenne. C'est le défi qu'affrontent aujourd'hui un grand nombre de firmes multinationales qui cherchent à améliorer leurs processus de gestion des savoirs et pratiques à travers leurs différentes filiales. De plus en plus, cet enjeu concerne également les PME et PMI qui se trouvent imbriquées dans des écosystèmes d'affaires complexes où les relations partenariales dépassent la relation client-fournisseur purement contractuelle.

Le deuxième point fondamental consiste à développer le leadership de ces passeurs. Dans un article récent de la *Harvard Business*

Review (2019), Tiziana Casciaro, Amy Edmondson et Sujin Jang se penchent sur le leadership propre à ces passeurs qui constituent une interface organisationnelle désormais stratégique. Ce « cross-silo leadership » fait fi des frontières internes à l'entreprise et contribue à l'ouvrir sur son environnement. Pourquoi ? Quelles sont les relations qui comptent, quand on cherche à comprendre ce qui crée de la valeur pour le client ? Les relations qui comptent sont moins les frontières entre départements et niveaux hiérarchiques, mais bien les relations horizontales, les coopérations effectives entre les fonctions, les bureaux et les différentes parties de l'organisation. La prise en compte de ces relations horizontales est au principe de la création de nouvelles formes organisationnelles orientées « produits », et qui prennent la forme d'écosystèmes.

On peut distinguer deux catégories de « *cultural brokers* » : ceux qui font le pont entre des domaines et initient des collaborations et des transferts de connaissance (les « *bridge* ») et ceux qui vont plus loin en construisant une compréhension mutuelle entre les personnes qu'ils connectent et mettent en relation, en développant un langage et une capacité de traduction des enjeux hétérogènes des acteurs (les « *adhesive* »).

Qu'ils créent des ponts ou des interfaces perméables, ces passeurs ont un leadership qui repose sur la capacité à faire dialoguer des individus qui, habituellement, ne se côtoient pas. À la manière socratique, ils doivent donc être experts dans l'art de la maïeutique, c'est-à-dire l'art de l'interrogation qui amène un interlocuteur à prendre conscience de ce qu'il sait, à l'exprimer, à l'évaluer et le partager. Loin de se cantonner à être des « managers prescripteurs », ils doivent devenir des « managers dialectiques » (voir Partie 2, Règle n° 4) dont le leadership repose sur la capacité à organiser un dialogue ouvert et constructif avec les collaborateurs. On retrouve là les principes du modèle SECI de Nonaka et Takeuchi, notamment la phase d'explicitation des connaissances tacites. Sans cette capacité à développer une compréhension fine et partagée des savoirs et savoir-faire des uns et des autres, pas de possibilité de repenser et créer les combinaisons nouvelles nécessaires à l'innovation. De cette capacité à ouvrir les horizons en équipe, dépend celle, organisationnelle, de casser les silos.

Le design organisationnel est au cœur des enjeux de transformation des organisations en organisations apprenantes, en véritables «*learning companies*». Casser les silos: cette injonction sonne comme un mantra, mais n'est pas toujours facile à mettre en œuvre. Pour cela, il s'agit d'abord d'identifier les activités qui vont faciliter le passage des frontières internes et externes (un challenge innovation? une réinvention des activités de formation? la mise en place de «communautés de pratiques»? Des équipes projets transverses qui permettent de réfléchir à de nouveaux produits et services et de poser les briques d'une possible refonte organisationnelle?). Le deuxième niveau consiste à créer des plateformes permettant de connecter les expertises et de faire dialoguer les pools d'expertise entre eux (voir Partie 2, Règle n° 8).

Cela nous conduit donc à réfléchir à un dernier point, particulièrement sensible et délicat à mettre en œuvre. Quelle culture organisationnelle permet de développer ces transformations de design organisationnel et de leadership?

La culture de la *learning company*: une culture de l'*upskilling*?

Plusieurs éléments ont été identifiés par les chercheurs quant aux conditions de la mise en œuvre des mécanismes d'apprentissage collectif de manière systémique dans les organisations. Comme le soulignait déjà Hatchuel en 1994, développer une organisation *apprenante,* nécessite d'identifier et développer des mécanismes d'intensification des échanges entre acteurs et de renforcement d'une autonomie cadrée. Cela demande de réfléchir à l'expression de la culture organisationnelle aux niveaux micro et macro.

À un niveau micro, les travaux d'Amy Edmondson et Teresa Amabile, professeures à la Harvard Business School, insistent et développent un point déjà mis en avant par Dorothy Leonard : la sécurité psychologique et l'organisation bienveillante. La peur est l'ennemie n° 1 de l'apprentissage. Dans son dernier livre, *The Fearless Organization* (2019), Amy Edmondson montre comment une entreprise qui veut grandir et innover doit construire une culture managériale qui repose sur un sentiment de sécurité psychologique nécessaire à la prise d'initiative des salariés.

La sécurité psychologique ne doit pas être interprétée comme le fait d'être « confortable » dans son travail ou d'être simplement « gentil » les uns avec les autres. Elle doit être comprise comme la capacité pour chaque collaborateur de s'exprimer, formuler des idées, des propositions ou des questions, sans crainte d'être rabroué ou sanctionné, parce qu'il a intériorisé le fait que son environnement est bienveillant, à l'écoute et curieux de ses idées – ce qui ne veut pas forcément dire d'accord avec tout ce qui est dit ou demandé. Il n'y a pas d'incompatibilité de principe entre sécurité psychologique et performance : c'est au contraire parce qu'il y a sécurité psychologique que les attentes peuvent être fortes (figure 7).

Cette culture de la bienveillance, accompagnée d'attentes exigeantes, nous met en condition pour apprendre et progresser.

Figure 7 – Sécurité psychologique et attentes exigeantes pour apprendre et améliorer ses performances

	Attentes faibles	Attentes exigeantes
Sécurité psychologique forte	Zone de confort	**Apprentissage et performance**
Sécurité psychologique faible	Apathie	Anxiété

Source : adapté de Amy C. Edmondson, *The Fearless Organization,* 2019.

Cependant, créer un environnement psychologiquement rassurant et bienveillant ne se décrète pas. Au contraire, cela demande un réel effort de construction d'un cadre clair, de règles du jeu précises et d'objectifs ambitieux. Le cadre et les règles permettent de donner des repères et créent les conditions de la confiance. Les collaborateurs embarqués dans cet environnement exigeant vont avoir les moyens d'oser et de prendre des risques.

Focus • « Is yours a learning organization? »

Pilier n° 1 : construire un environnement qui favorise l'apprentissage

Sécurité psychologique

Reconnaissance de la valeur des idées alternatives et des idées concurrentes

Ouverture aux idées nouvelles et qui sortent des sentiers battus

Donner du temps pour réfléchir

Pilier n° 2: développer des processus et outils d'apprentissages concrets

Collecter, interpréter, et disséminer les connaissances verticalement et horizontalement

Définir des processus d'expérimentation de nouvelles offres

Être en posture de veille concurrentielle et technologique active

Développer des capacités de résolution de problème des collaborateurs

Pilier n° 3: engagement de la direction

P-DG et dirigeants à l'écoute des points de vue divergents

Des dirigeants qui incitent à passer du temps à formuler et analyser des problèmes

Des dirigeants qui écoutent activement et posent des questions

Source : Garvin et al. (2008)

Ces travaux mettent en avant, à l'instar des recherches de Leonard, le rôle du leadership *dialectique*, la capacité à poser des questions, interroger et écouter activement. C'est Teresa Amabile qui a étudié en profondeur les soubassements psychologiques de ces mécanismes, en montrant le rôle central des émotions dans la vie intérieure professionnelle (« *inner worklife* »). Dans leur quotidien de travail, les individus vivent dans un flux d'émotions et de perceptions qui, imperceptiblement mais durablement et profondément, vont jouer sur leur degré de motivation intrinsèque. Or, les recherches d'Amabile (2012) montrent bien que le fait de ressentir plus d'émotions positives, et régulièrement, augmente la créativité et la performance, en conditionnant positivement l'attention portée à la tâche et leur implication. Cette spirale positive se nourrit moins de grands éloges que de petits gestes quotidiens et d'attentions récurrentes qui renforcent l'estime de soi : les encouragements dans les périodes difficiles, les marques de respect ou encore le fait d'encourager l'entraide entre salariés et équipes, de fixer des objectifs clairs et d'accorder des ressources (spatiales, temporelles, financières) en adéquation avec ces derniers. Au contraire, des systèmes de récompense formelle (primes, cadeaux…) qui jouent sur la motivation extrinsèque auront un effet négatif sur la créativité car les individus entrent dans des logiques de conformité et de contrôle. Amabile met ainsi en évidence le rôle fondamental des managers intermédiaires dans le développement d'un environnement de travail propice à l'engagement et à la créativité, qui repose sur un cercle vertueux cultivant la motivation intrinsèque des collaborateurs en jouant avant tout sur une culture de bien-être au travail.

Cette attention à la qualité de vie au travail doit également porter sur la qualité *du* travail, *au* travail. Pascal Ughetto, chercheur à l'Université Gustave Eiffel, dans son ouvrage *Organiser l'autonomie au travail* (2018), revient sur ce qui lui semble être un impératif urgent pour les dirigeants aujourd'hui :

> « Les directions doivent passer moins de temps à se préoccuper du travail de demain et davantage se soucier du travail d'aujourd'hui. [...] le travail confronte à une matérialité qui parle différemment aux individus, qui les met à l'aise ou en difficulté. La matérialité du travail de demain ne se réduira pas à interagir avec les écrans. » (p. 148)

Il est urgent de s'intéresser au travail comme activité, et cela demande une capacité de négociation, d'écoute et de mise en confiance sur des aspects du travail qui peuvent paraître au départ lointains, dangereux, hors zone de confort.

Au niveau macro, comment traduire dans la culture organisationnelle les réflexions portant sur l'articulation entre le management de l'organisation apprenante et le management par les communautés ? Amin et Cohendet (2004) proposent ainsi de concevoir des formes organisationnelles hybrides, qui s'appuient sur la logique souple des communautés apprenantes qui s'auto-organisent. Les communautés ont cet avantage de générer elles-mêmes des langages, des codes, des valeurs et des processus de création et partage des connaissances. Les membres des communautés étant avant tout motivés intrinsèquement, cela permet d'enclencher le cercle vertueux de la créativité. Cependant, il est évident que les relations dans et entre les communautés ne sont pas toujours susceptibles de se gérer de manière autonome. Les nombreuses études de sociologie des sciences et d'anthropologie (Amin et Cohendet, 2004 ; Brown et Duguid, 1991) réalisées dans le cadre de l'emblématique Xerox PARC[1], montrent bien les tensions et rivalités qui existaient entre les communautés de pratiques. De même, outre les relations entre les communautés, il s'agit également d'envisager les mécanismes décisionnels et organisationnels qui permettent d'évaluer les connaissances et projets développés, et de faire des choix dans l'optique du

1. Le Xerox Palo Alto Research Center était un lieu d'innovation, où étudiants et ingénieurs en informatique ont développé dans la plus grande liberté un grand nombre de projets et d'inventions, certains ayant débouché sur des innovations majeures dans le domaine des ordinateurs personnels, interfaces graphiques et systèmes d'exploitation.

développement de l'entreprise. Si trop de contrôle et d'incitations externes tuent la logique coopérative et l'ouverture nécessaires à la créativité et l'innovation, l'absence de règles du jeu et de cadre de décision leur sont tout aussi néfastes. De ce fait, l'effort de structuration d'un cadre commun passe par le développement d'une culture d'entreprise reposant sur un fort degré d'interactions répétées entre les communautés d'une part, et une architecture cognitive riche (un langage commun, reposant sur des valeurs et une vision partagées, par exemple).

Figure 8 – Différentes formes de cultures organisationnelles pour l'entreprise apprenante

	Faible répétition des interactions entre communautés	**Répétition soutenue des interactions entre communautés**
Communication de faible qualité entre les communautés (absence de codes partagés, de jargon, de langages communs)	Culture de faible communication *Ex : un réseau de magasins franchisés dans l'habillement*	Culture tacite forte *Ex : un parc industriel créé à l'initiative des pouvoirs publics*
Communication de bonne qualité entre les communautés (existence de codes partagés, de jargon, de langages communs)	Culture fortement codifiée *Ex : un cluster industriel*	Culture de communication forte *Ex : la Silicon Valley, les districts industriels italiens*

Source : Amin et Cohendet, 2004, p. 127

Dans une culture organisationnelle où les interactions sont fréquentes et portent une communication riche en substance, alors il devient plus facile d'introduire des modèles hybrides de gestion des communautés, tribus, groupes, équipes et directions qui composent l'organisation dans son ensemble. L'enjeu reste de parvenir à maintenir un projet commun suffisamment fédérateur pour que toutes les entités orientent leurs interactions et apprentissages vers celui-ci.

Partie 2

Les règles d'or des équipes qui apprennent vite

6 règles pour apprendre individuellement et collectivement au quotidien

Nos observations de terrain et les résultats d'études académiques nous donnent des clés pour une meilleure compréhension des ressorts agissant dans les entreprises qui parviennent à réunir les conditions d'un apprentissage accéléré. Elles réussissent à apprendre plus vite que les autres, car elles envisagent les apprentissages simultanément à trois niveaux : celui de l'individu, celui du collectif de travail (l'équipe), celui des conditions organisationnelles qui favorisent les apprentissages. Les trois niveaux sont en interaction constante et c'est cette tension dynamique qui permet à l'entreprise de devenir apprenante.

Nous identifions 6 règles fondamentales qui favorisent cette dynamique d'apprentissage :

- Règle d'or n° 1 ♦ Faire vivre la belle idée du collaborateur acteur de son parcours
- Règle d'or n° 2 ♦ Donner envie de faire autrement
- Règle d'or n° 3 ♦ Passer à l'acte ici et maintenant
- Règle d'or n° 4 ♦ Les rituels qui protègent, organisent et libèrent
- Règle d'or n° 5 ♦ Toi, moi, nous, tous coachs et coachés
- Règle d'or n° 6 ♦ Organiser le forum et la percussion

Règle d'or n° 1

Faire vivre la belle idée du collaborateur acteur de son parcours

Depuis fin 2019, chaque salarié dispose d'un budget personnel de formation professionnelle et accède via l'application « mon compte formation[1] » à une offre riche et diversifiée : par exemple, si je suis conscient de mes faiblesses dans le numérique, je vois tout de suite sur l'app qu'une formation Cléa numérique est disponible, proche de mon lieu de travail, et que je peux même mettre en concurrence trois organismes de formation grâce au budget qui a été crédité sur mon compte. Et, bien sûr, je peux aussi faire cette formation en mode distant, maintenant que le télétravail, depuis la crise sanitaire du printemps 2020, est mieux perçu par mon manager.

Il existe une exception française en matière de formation : nous sommes l'un des seuls pays développés à être allé au bout de la logique permettant de rendre chaque salarié acteur de sa formation. Le législateur national montre, en effet, une vraie constance dans ce domaine depuis dix ans. D'abord avec la création du DIF – droit individuel à la

1. www.moncompteformation.gouv.fr

formation – en 2004 (24 heures de formation par an, sur proposition du salarié, permettant à celui-ci de prendre l'initiative de sa montée en compétences). Ce dispositif a été critiqué en raison de sa relative lourdeur administrative, parfois difficile à maîtriser par les entreprises de petite taille. Néanmoins, il a ouvert la voie au compte personnel de formation.

Avec la loi du 5 septembre 2018[1], le slogan « Salarié acteur de sa formation » est en passe de devenir une réalité. La crise sanitaire et économique va certainement accélérer sa mise en œuvre. Le web et les innovations associées ont fait naître un nouvel espace d'information, d'expression, d'apprentissage et de collaboration pour les individus, qui représente un vrai levier professionnel. Le réseau social professionnel LinkedIn, par exemple, nous suggère de répondre à des offres d'emploi auxquelles nous n'aurions pas pensé spontanément. L'algorithme qui le gouverne est capable d'apparier des compétences détenues à celles demandées : repérer, par exemple, que les compétences de gestion de projet en systèmes d'information (SI) que j'ai développées au cours de ma vie professionnelle pourraient être tout à fait pertinentes pour un poste RH dans une entreprise en train de lancer un projet SI complexe. Et puisque je n'ai jamais travaillé en RH, l'algorithme va me suggérer aussi la formation complémentaire à suivre.

Devenir ainsi acteur de son évolution donne à chacun plus de liberté à l'égard de son employeur. Il devient possible d'avoir un projet professionnel et de le concrétiser en le finançant soi-même, sans nécessairement en parler à son employeur.

L'ouverture de toutes ces possibilités a souvent été interprétée comme la concrétisation d'un désengagement des entreprises à l'égard de l'employabilité des salariés, ces derniers étant renvoyés à leur responsabilité individuelle et à la nécessité d'adopter des attitudes proactives de type

1. Loi n° 2018-771 du 5 septembre 2018 « Pour la liberté de choisir son avenir professionnel ».

« entrepreneur de soi ». Cette réserve n'est pas toujours fausse. Mais on constate aussi que le fonctionnement des entreprises est questionné par les nouveaux comportements des salariés et par les effets multiples des technologies sociales sur leurs marchés et leurs organisations. Si les salariés deviennent potentiellement plus mobiles, ils deviennent aussi moins fidèles, ce qui n'est pas sans désorganiser les fonctionnements. Cela conduit les entreprises les plus impactées, mais aussi les plus attentives aux mouvements engendrés par ces nouvelles possibilités, à repenser et mettre en œuvre de nouveaux engagements à l'égard de leurs salariés pour les accompagner. Ces entreprises voient *l'upskilling*, en tant que soutien à l'employabilité, comme faisant partie de leur politique de RH-RSE. Cette combinaison de comportements individuels et d'engagements d'entreprise conduit à créer une dynamique positive à l'égard des apprentissages, et favorise les conditions d'une organisation globalement plus apprenante.

La mobilité, à la source des apprentissages

Comme il a été montré au chapitre 3, la littérature académique montre par quels mécanismes la mobilité est source d'apprentissages multiples pour les individus comme pour l'organisation.

Favoriser la mobilité professionnelle est donc une voie utile pour créer une culture de l'apprentissage. Les entreprises les plus en pointe, notamment technologiques, l'ont bien compris : « *Chez Google, on veille à ce que vous enchaîniez les missions dans différents pays et services* », dit ainsi un salarié avec satisfaction. *A contrario*, la mobilité dans nombre de grands groupes s'avère souvent un parcours du combattant, en dépit des belles paroles : « *On parle beaucoup de mobilité, mais dans les faits, il y a plutôt des filières qui enferment et peu de formations qui autorisent à faire autre chose que ce pourquoi on a été programmé au départ* », raconte un cadre supérieur.

De plus, la mobilité est souvent appréhendée par les entreprises uniquement comme un parcours ascensionnel, alors que beaucoup de salariés aspirent aussi à des mobilités latérales : « *J'ai exprimé mon souhait de changer de job mais je voulais un job différent, quitte à être moins payée. La direction de l'entreprise n'a pas su comprendre ou répondre à mon souhait de mobilité. Elle ne pensait qu'en termes d'échelon et de salaire* », témoigne une ancienne responsable administrative dans un grand groupe.

Une mobilité mal appréhendée du côté des salariés comme des entreprises

À l'inverse des experts et hauts diplômés courtisés de toutes parts et forts de leurs réseaux professionnels, de nombreux professionnels moins « capés », disposant de moins de capital culturel et social, sont peu incités à se mettre « sur le marché de la mobilité », perdant ainsi l'occasion de développer leurs compétences. Plusieurs facteurs expliquent cette situation : ils connaissent mal les règles du jeu interne ; ils se sentent « confortables » là où ils sont et craignent de lâcher la proie pour l'ombre ; ils anticipent une réaction négative de leur actuel manager qui pourrait dresser des obstacles ou devenir hostile si l'opération de mobilité venait à ne pas aboutir.

De même, du côté des entreprises, la mobilité n'est souvent qu'un affichage de façade, et de nombreux comportements et processus contribuent bien plus à freiner la mobilité qu'à l'encourager.

La mobilité, souvent vécue comme une trahison par les managers

Les processus de gestion des ressources humaines exigent que chaque collaborateur se voie proposer des formations et ait régulièrement un échange sur ses perspectives professionnelles – garanti par la loi n° 2014-288 du 5 mars 2014 relative à la formation professionnelle, à l'emploi et à la démocratie sociale, avec, à la clé, une amende pour l'employeur si celui-ci ne peut apporter la preuve qu'il a bien effectué cette démarche.

Cependant, cette garantie a souvent peu de substance dans la pratique. Trop souvent, le manager se limite à laisser en blanc la case « évolution professionnelle suggérée », lors de l'entretien annuel, et renvoie au service des Ressources humaines le soin de proposer les quelques heures de formation obligatoire. La plupart des managers ont, en effet, pour objectif de garder dans leur équipe les collaborateurs qui ont montré leur efficacité : ce sont eux qui font tourner la boutique, assurent les résultats, ont souvent la mémoire du travail mené, ainsi que la connaissance des réseaux internes et externes. Le manager n'a donc aucun intérêt à susciter un appétit pour une formation (qui détourne le salarié du travail effectif) ni pour un nouveau poste ou une nouvelle fonction, à l'intérieur ou, pis encore, à l'extérieur de l'entreprise. Il sera d'ailleurs critiqué si son turn-over est trop élevé. Quand les salariés veulent partir, bien des managers se sentent désavoués et trahis.

Cherchez l'erreur : « quand ils veulent partir »

Ce chef de rayon dans un hypermarché partage son découragement face à la nouvelle du départ d'un jeune apprenti, six mois après sa titularisation en CDI : « *On ne m'y reprendra pas. Je lui ai consacré un temps considérable, je lui avais dit qu'il pourrait compter sur moi dans la durée pour réussir son intégration dans l'enseigne et grandir, et voilà qu'il m'apprend du jour au lendemain qu'il s'en va pour aller chez un de mes collègues. Je ne suis pas évalué pour mon rôle de papa poule, mais pour mes résultats.* »

Une brillante cheffe de produit dans une grande entreprise de consommation, considérée comme un haut potentiel par sa hiérarchie, se retrouve brusquement avec des évaluations annuelles moyennes, qualifiée de « personnalité instable », parce que son patron a eu vent de ses contacts avec d'autres unités de l'entreprise en vue d'un transfert. Elle avait l'impression d'avoir fait le tour du job et avait envie de changer de management.

Dans cette branche d'une grande entreprise industrielle mondialisée, où l'esprit d'appartenance et l'identité professionnelle sont très développés, il est de notoriété publique que partir dans la branche voisine, considérée comme approximative dans ses méthodes de travail et ne réussissant que par une communication « clinquante », est considéré comme une trahison ultime, interdisant tout retour en arrière et empêchant toute relation professionnelle future.

Savoir comment et vers où bouger dans mon entreprise

Une autre façon de dresser un obstacle à la mobilité interne consiste à empêcher les collaborateurs d'avoir accès à l'information qui pourrait les aider à bouger. Les sources d'information sont, en effet, d'abord celles données par l'environnement professionnel immédiat : le manager, les collègues, un délégué du personnel, d'autres managers.

Si le service RH joue un rôle important, la mise en place des systèmes d'information RH a souvent conduit à limiter les effectifs des RH de proximité, ce qui les rend peu disponibles pour répondre aux demandes individuelles des collaborateurs. Ces services argueront justement du fait qu'il existe une plateforme d'informations sur les postes ouverts pour éviter les rencontres en *one-to-one*.

Dans les grandes entreprises, des cellules d'accompagnement de carrière offrent une écoute attentive et un accompagnement personnalisé. Mais encore faut-il avoir confiance : ma demande ne sera-t-elle pas relayée à mon manager ? Si celui-ci l'apprend, en tirera-t-il des conséquences négatives qui nuiront alors définitivement à toute perspective d'avancement ou de mobilité ?

En résumé, nombreuses sont les entreprises où la vision des perspectives d'évolution professionnelle est très limitée, sans même parler des perspectives d'employabilité à plus long terme.

Sensibiliser les managers à préparer avec leurs équipiers le « coup d'après »

La concrétisation du « collaborateur acteur de son parcours » se joue d'abord au sein de l'équipe, dans la relation managériale et le « contrat de confiance à durée déterminée » qui doit être explicité entre le manager et le collaborateur (Petitbon *et al.*, 2017). Au manager d'aider le collaborateur à grandir et à garantir son employabilité. Par le développement de ses compétences certes, mais aussi par l'anticipation de ses futurs possibles.

Pour permettre l'apprentissage dans l'équipe, le manager doit être prêt à *aider ses collaborateurs à partir*. Entendons-nous : il ne s'agit pas d'inciter à démissionner des équipiers de qualité, investis, qui créent de la valeur pour l'entreprise. Mais il s'agit de les aider à « préparer le coup d'après » – ce dernier pouvant, bien sûr, se situer dans la même entreprise…

L'anticipation du « coup d'après » nous semble importante tant pour le collaborateur que pour l'entreprise. Elle permet au premier de se projeter vers d'autres opportunités et apprentissages, et renforce la confiance en son manager – qui prouve ainsi, concrètement, qu'il ne s'intéresse pas seulement à la défense de son pré carré. Elle permet à l'entreprise d'anticiper un certain nombre de départs de collaborateurs qui auraient organisé seuls leur mobilité externe, au hasard d'une rencontre ou suite à un coup de mou.

Le contrat de confiance doit être défini d'emblée, dès l'entrée en poste – « c'est un poste / une mission où il faut que tu restes au moins six mois, sans quoi, tu ne seras pas efficace et l'entreprise aura perdu de l'argent, tu ne pourras pas le valoriser dans ton parcours professionnel, chez nous ou ailleurs». Le collaborateur est ainsi prévenu et il sait clairement à quoi il s'engage.

Par la suite, l'entretien de performance / de fixation d'objectifs est un moment privilégié pour évoquer avec le collaborateur les futurs possibles : les développements de compétence attendus, les sujets de professionnalisation, les perspectives professionnelles... Mais dans bien des entreprises, cet exercice est vicié : le formalisme imposé au feed-back, la nécessité de produire des chiffres et des comparaisons, la question de la rémunération, tout tend à faire de cette opportunité un échange convenu où chacun reste sur ses gardes.

Des méthodes d'auto-évaluation, ou d'évaluation par les pairs et collaborateurs au fil des missions et projets permettent de pratiquer l'exercice de manière plus nuancée et plus riche. Cela ne débouche pas nécessairement sur un dialogue uniquement bienveillant dénué de tout impératif de cotation, comme le préconise Frédéric Laloux (2015, p. 263-267). Cependant, la vision d'un collaborateur par ses pairs, ses collègues de projet, peut permettre d'engager une vraie discussion sur des possibilités d'évolution professionnelle insoupçonnées.

Au-delà de la pratique d'évaluation, le manager a, à notre sens, une double responsabilité vis-à-vis de son collaborateur : l'éclairer sur les «vraies» règles du jeu et les opportunités de moyen et long terme. Trois membres du comité de direction sont passés par l'établissement de Marseille : cela signifie-t-il forcément que celui-ci est un accélérateur de carrière ? Les deux derniers managers ayant pris des postes en Indonésie ont eu un retour difficile au siège : cela veut-il dire qu'il faut fuir les postes en Asie ? Le manager pourra aussi ouvrir au collaborateur des portes qui vont au-delà des perspectives immédiates, en l'emmenant à des manifestations extérieures ou en lui présentant des personnes de son réseau. Une expérience réussie à l'extérieur de l'entreprise n'est pas incompatible avec un retour, et il n'est pas rare qu'un ancien collaborateur revienne prendre sa place aux côtés de son ex-manager, tous deux ayant entre-temps pris du galon.

Ces règles du jeu que les entreprises doivent changer

À l'échelle d'une entreprise, faire vivre la belle idée du collaborateur acteur de son parcours ne peut donc se limiter à respecter les textes légaux ni à se défausser sur le collaborateur de toute responsabilité. Les entreprises les plus avancées sur ces sujets ont ainsi modifié trois règles du jeu essentielles.

Transférer au collaborateur la maîtrise du choix de ses actions de développement des compétences

Très concrètement, il s'agit de transférer aux collaborateurs une partie du budget de formation, en le plaçant sur leur compte de formation professionnelle, puis de les laisser libres de le dépenser comme ils l'entendent, en picorant aussi bien dans l'offre de formation proposée par l'entreprise que directement auprès d'acteurs externes de la formation.

« *Laisser les collaborateurs dépenser directement l'argent ? Mais vous n'y pensez pas !* » Telle fut la première réaction des managers et responsables de formation de cette grande entreprise internationale de culture française lorsque cette idée fut lancée. Selon eux, il était évident que les collaborateurs, ces « grands enfants », allaient dépenser l'argent en formations futiles, au lieu de choisir des formations qui leur seraient vraiment utiles à eux et… à l'entreprise. Le DRH a alors décidé de tester l'idée auprès des collaborateurs en Chine, car le management y semblait moins hostile. Ce test a reçu un très bon accueil de la part des équipes chinoises très conscientes du besoin de montée en compétences et contentes de pouvoir prendre la main sur leurs parcours. Certains ont décidé de dépenser leur budget sur des offres internes proposées par l'entreprise, d'autres sur des propositions extérieures. Le fort intérêt manifesté pour certains Moocs a conduit l'entreprise à les labelliser.

Un impact collatéral positif de cette responsabilité transférée aux collaborateurs a été la transformation du rôle des équipes RH en charge de la formation : diminution drastique de leur travail d'organisation et d'administration de la formation et, pour ceux qui y sont parvenus, montée de leur rôle de conseil auprès des équipes, de retour d'expérience sur les actions menées, d'identification de compétences sensibles, etc.

Mais il n'est pas forcément nécessaire d'aller aussi loin que cette entreprise pionnière : on peut *a minima* laisser le collaborateur choisir lui-même son dispositif dans l'offre de formation de l'entreprise, ou considérer *a priori* que sa demande de participer à une conférence, à un événement ou une formation, est justifiée et sera validée en confiance, etc. Beaucoup de dispositifs peuvent être imaginés pour que les collaborateurs aient le sentiment d'avoir « la main » sur le développement de leurs compétences.

Donner la priorité au collaborateur dans le choix de son parcours, en passant outre son manager

Concernant la mobilité, il paraît nécessaire de rassurer le collaborateur sur la protection dont il bénéficiera pour explorer une mobilité : son souhait de mobilité passe avant les préoccupations de son manager. Les Ressources humaines doivent être en mesure d'apporter au collaborateur la garantie qu'il sera soutenu dans son souhait de mobilité, de lui apporter l'appui nécessaire pour opérer les bons choix et de réunir les conditions nécessaires à la réussite de cette mobilité.

Ici, ce n'est pas le manager qui décide de l'avenir de son collaborateur

Dans cette entreprise internationale du domaine de l'énergie, composée d'ingénieurs de haut niveau, on fait carrière dans sa *business unit*, avec une expertise toujours plus pointue – dans les matériaux, dans les techniques d'exploration pétrolière, dans les technologies décarbonées… mais toujours au sein d'une unité « marché » – avec une séparation forte entre les domaines tels que l'exploitation de gisements, les énergies éoliennes ou l'hydrogène.

La transition écologique conduit à une transformation rapide des équilibres de marché et au développement accéléré des domaines décarbonés. Ceux-ci sont donc en demande de compétences techniques de haut niveau, y compris si elles ont été acquises dans d'autres *business units*. Pour dépasser cette culture du cloisonnement des métiers, pas de demi-mesure : communication du Président à tous les collaborateurs sur l'importance de développer son employabilité et sa mobilité au sein du groupe considéré dans sa totalité ; doublement du nombre de « *people developers* » en charge des parcours et de la mobilité ; contacts systématiques auprès des professionnels de l'entreprise pour porter à leur connaissance les postes dans les autres divisions, et priorité donnée au projet de mobilité du collaborateur.

Dans cette entreprise de la grande distribution, la mobilité n'est pas naturelle entre les formats – hypermarchés, supermarchés, entrepôts, siège... – notamment en raison d'une culture métier très forte où chacun prend de haut le voisin. Pour faire évoluer cette culture des silos, une nouvelle règle du jeu établie en concertation entre la direction et les organisations syndicales a été diffusée auprès de tous les collaborateurs : la cellule carrière et mobilité s'engage désormais à garder une totale confidentialité sur les échanges engagés avec cette cellule, en premier lieu à l'égard de la hiérarchie du collaborateur. La cellule est chargée de l'accompagner dans l'exploration des différents postes, de prendre contact avec les managers d'accueil, de valider la pertinence de la candidature, de donner au collaborateur les informations sur le dispositif de mise à niveau / d'accompagnement à la prise de poste. Le manager du collaborateur n'est prévenu qu'une fois ces étapes franchies.

Ouvrir le marché interne de l'emploi « pour de vrai »

Pour satisfaire les envies potentielles de mobilité, il faut aussi que l'ouverture du marché interne de l'emploi existe réellement.

Il s'agit de donner à chaque collaborateur l'accès à une information fiable sur les postes disponibles dans l'entreprise. De très nombreuses entreprises disposent déjà de « bourses d'emploi » ou de leur équivalent, qui permettent en principe à chacun de savoir quels sont les postes disponibles, à l'instar des mobilités ouvertes dans la fonction publique. Mais bien souvent les dés sont pipés ; le manager a déjà choisi un collaborateur qu'il connaît, qu'il a rencontré dans un poste précédent, même s'il est bien obligé par la procédure administrative de publier le poste sur le site.

Pour « ouvrir » le marché interne de l'emploi, il pourra être utile de recourir aux capacités inédites de « matching » de l'intelligence artificielle (voir encadré). Celle-ci peut être utilisée pour repérer des profils internes auxquels on n'aurait pas spontanément pensé pour pourvoir le poste considéré. En ouvrant le vivier interne du recrutement, l'entreprise se donne aussi l'occasion d'hybrider ou métisser ses équipes avec des profils différents, ce qui augmente les facultés collectives d'apprentissage (voir Règle n° 6).

Quand l'intelligence artificielle change les règles du jeu des parcours en entreprise...

Imaginez que vous êtes directement contacté pour un poste dont vous ne connaissez pas l'existence, auprès d'un manager que vous n'avez jamais rencontré, dans une division qui n'est pas la vôtre... et pour un métier différent du vôtre, mais pour lequel il apparaît que vous auriez toutes les compétences requises !

C'est la révolution que propose l'intelligence artificielle dans le management des parcours.

Jean travaille à la direction de la Recherche d'un grand groupe. Il a contribué à différents projets complexes, demandant une compétence de management, des aptitudes à la construction de compromis, et une capacité à faire travailler ensemble des acteurs d'horizons différents. L'entreprise a mis en place un système de partage des informations professionnelles et Jean y a chargé les informations de son profil personnel, comme sur LinkedIn : les fonctions qu'il a exercées, mais aussi les formations qu'il a suivies et qui sont importantes pour lui. Ses collègues ont été incités à donner une appréciation sur le niveau d'expertise de Jean dans les différents champs de compétence qu'il a indiqués. Et Jean a aussi mis en évidence dans son « profil » les sujets qui l'intéressent particulièrement.

Un algorithme alimenté par ces éléments peut dès lors opérer des rapprochements auxquels Jean n'aurait jamais pensé. Par exemple, un poste dans l'équipe Experts et Compétences 2030, certes rattaché à la DRH, mais qui demande avant tout un haut niveau de compétence en gestion de projet et une forte capacité à faire travailler ensemble des acteurs très différents – et pour lequel la connaissance des dispositifs RH est finalement d'importance secondaire.

C'est une révolution pour les services RH qui peuvent s'appuyer sur ces nouveaux outils pour faire vivre un marché interne de la mobilité beaucoup plus ouvert.

Une culture de la mobilité, ça se construit

Pour construire une culture de la mobilité, il est nécessaire que les collaborateurs puissent expérimenter la diversité des postes et des missions de l'entreprise, tout en disposant d'un certain niveau de réalisme par rapport aux compétences qu'ils détiennent et aux écarts existants pour atteindre leurs objectifs. Cela peut leur donner des idées qu'ils n'auraient jamais eues auparavant et susciter des ambitions nouvelles, en limitant les déconvenues.

Les possibilités d'action de l'entreprise dans cette direction sont multiples. En voici quelques exemples.

Montrer les parcours possibles dans une « aire de mobilité » à partir de l'emploi occupé à l'instant *t* par le collaborateur : il voit ainsi le champ des possibles, y compris vers des emplois auxquels il n'aurait pas pensé spontanément – et peut identifier les conditions d'accès et les dispositifs proposés par l'entreprise pour réussir le passage.

Mettre en scène des « Vis ma vie » – dispositif permettant à un professionnel de suivre pendant une journée un collègue exerçant un métier qui, potentiellement, l'intéresse. C'est tout simple sur le principe… et tellement plus efficace qu'un grand discours sur la mobilité, y compris à l'égard des collègues auxquels on racontera les plus et les moins du métier tels qu'on les a perçus.

Mobiliser des routines numériques en « poussant », via des applications, des expériences professionnelles de collaborateurs et des témoignages de parcours. Par exemple une vidéo flash de témoignage chaque semaine, permettant de connaître un collaborateur et de comprendre comment il a construit son parcours et quelles ressources il a mobilisé.

Inviter fermement un collaborateur resté un certain nombre d'années au même poste à un entretien exploratoire avec un expert RH afin de comprendre les raisons de cette stabilité et d'envisager les évolutions possibles – avec, le cas échéant, un échange avec le responsable hiérarchique.

Proposer des rencontres – forum des métiers, lieux de rencontre – permettant d'échanger avec d'autres salariés sur leurs activités.

Ces dispositifs ont tous un point commun : une communication active autour de la mobilité, affichée comme une politique globale d'entreprise qui permet à chacun d'apprendre et à l'entreprise d'être plus réactive. Une telle politique inverse la charge de la preuve : pour rester longtemps au même poste, il faut que le manager et le collaborateur l'aient choisi explicitement, et pour de bonnes raisons !

Et maintenant, ACTION !

Managers

- Aider le collaborateur à préparer son « coup d'après », dès son arrivée et à l'occasion de toute nouvelle mission.
- Provoquer régulièrement un échange ouvert, hors des entretiens annuels et des questions de performance, pour passer en revue la situation du collaborateur et ses perspectives.

RH

- Laisser la main aux collaborateurs dans le choix de leurs actions d'apprentissage / de développement des compétences.
- Faciliter la mise en relation directe entre l'offre et la demande interne d'emploi, en mobilisant la force du numérique / de l'intelligence artificielle, pour favoriser les appariements.
- Organiser et faciliter les démarches de mobilité des collaborateurs et les sécuriser, face à des managers qui veulent garder leurs ressources.
- Changer la posture et les pratiques des équipes RH pour en faire des facilitateurs, et plus des points de passage obligés.

Comex

- Promouvoir et valoriser en toute occasion les pratiques de « c'est à moi, collaborateur, de me prendre en charge face à mon développement… Et voilà comment nous, Comex, le rendons possible ».

Règle d'or n° 2

Donner envie de faire autrement

Pour créer une dynamique d'apprentissage, il faut individuellement avoir envie d'apprendre et de changer ses manières de travailler. Oui mais justement, la plupart du temps, nous n'en avons pas *envie* ! De même que nous n'avons pas envie d'arrêter de fumer, de faire du sport, de renoncer définitivement aux viennoiseries ou de baisser le chauffage, nous n'avons pas envie de devenir des *geeks* accros aux algorithmes, de faire de la méditation 15 puis 30 minutes par jour pour mieux nous concentrer, ni de nous former à de nouveaux logiciels tous les mois, encore moins de coopérer avec cette équipe de « créa » un peu étrange… On n'a pas envie d'avoir envie. En dépit des milliards de mots et des dizaines de théories produites sur la motivation et le *change management*, l'envie demeure, largement, une terra *incognita* (Bas, 2015).

What's in it for me – or not? (WIIFM)

Agir sur la motivation intrinsèque des individus serait évidemment l'idéal. C'est ce que s'efforce de faire le manager lorsqu'en coaching individuel (voir aussi Règle n° 5), il essaie de cerner « à quoi marche » cet équipier, quel est le contrat implicite qui le lie à l'entreprise, pour tenter d'agir sur les ressorts individuels de sa motivation.

Focus ◆ Qu'attend-on de son travail ? La motivation, un processus multidimensionnel et largement individuel

La motivation, du latin *movere*, « se mettre en mouvement », désigne l'élan qui pousse quelqu'un à vouloir faire quelque chose. On peut distinguer trois dimensions de la motivation : l'*orientation* qui nous pousse vers tel ou tel élément, l'*intensité* de l'effort qu'on est disposé à fournir, et la *persistance* dans l'effort. La motivation n'est donc pas un trait de la personnalité, mais un processus. On n'est pas motivé dans l'absolu, mais toujours par ou pour quelque chose.

On distingue la motivation intrinsèque de la motivation extrinsèque.

- **La motivation *intrinsèque*** est liée au moteur personnel de la personne, à ce qui la pousse de l'intérieur à se tourner vers telle ou telle activité. Elle relève de l'individu, de son histoire, de sa personnalité et de son fonctionnement, elle est façonnée par les situations communes et particulières qu'il a rencontrées au cours de son existence. Agir sur les facteurs de motivation intrinsèque permet d'entretenir l'envie et l'engagement en procurant une satisfaction fondée sur la reconnaissance, la valorisation de l'individu, l'estime de soi.
- **La motivation *extrinsèque,*** elle, relève des incitations extérieures qui peuvent amener l'individu à se motiver pour obtenir un élément extérieur au travail lui-même : une prime, une promotion, une marque de reconnaissance individuelle ou

sociale. Ces facteurs ne suscitent pas un engagement durable mais les négliger génère de l'insatisfaction, qui peut se traduire par un désengagement, silencieux ou protestataire.

La motivation est un processus multidimensionnel, qui allie des facteurs matériels et des facteurs psychologiques. Au sein d'une organisation, les systèmes d'incitation doivent être pensés pour être en cohérence avec les valeurs et objectifs de l'entreprise. On remet de plus en plus en question l'efficacité des mécanismes coercitifs (sanctions matérielles ou symboliques – avertissement, licenciement, sanctions sociales, etc.), voire spéculatifs (attribution de récompenses ou perspectives de carrière si un objectif est atteint), et beaucoup d'organisations insistent sur les mécanismes d'identification de l'individu à la mission de l'organisation, à ses valeurs, à la volonté de faire partie du groupe.

Au-delà d'un modèle organisationnel commun qui peut être partagé, il faut garder à l'esprit que la motivation est un phénomène hautement individuel. L'aspiration à l'autonomie et à la responsabilité, par exemple, n'est pas universelle, un collaborateur peut être heureux et efficace dans un cadre organisationnel très normé.

Last but not least, gardons à l'esprit la complexité de la relation entre motivation et performance : il existe des salariés heureux au travail et parfaitement inefficaces, des organisations épanouissantes qui font faillite, et des entreprises qui gagnent beaucoup d'argent malgré une organisation du travail déshumanisante !

Source : D'après Alexandre-Bailly F. et al (2013). *Comportements humains & management*, 4e édition, Pearson, p. 149.

Les formateurs connaissent bien le WIIFM qui reste pourtant trop souvent implicite. Pour engager des apprenants dans une formation ou un changement de pratiques, il faut leur montrer les bénéfices qu'ils pourront en retirer *personnellement* – plutôt que les bénéfices qu'en espère l'entreprise ou le manager : « non seulement, cela facilitera ton travail quotidien, mais cela t'offrira de nouvelles perspectives en termes de promotions, et tu seras davantage considéré.e dans la boîte, et sans doute par les chasseurs de têtes… » Des formations longues, même internes, deviennent ainsi plus attractives si elles sont scandées par des certifications qui pourront ensuite être valorisées sur un CV ou en interne.

Il n'est pas interdit non plus de valoriser ce que les Anglo-Saxons appellent des « *role-models* » qui permettent de se projeter vers un futur pouvant paraître inaccessible à l'instant *t*, ou encore de favoriser les échanges informels avec des pairs. Cela sera souvent plus convaincant que le discours du manager.

Pour faire sortir le salarié de sa zone de confort, il reviendra donc au manager d'expliciter, voire de « contractualiser », en amont avec chaque collaborateur, les bénéfices que celui-ci peut attendre de la formation ou du changement, en termes de compétences, savoir-faire ou savoir-être. Bien entendu, ce type de démarche sera d'autant plus efficace que le manager sera aidant, proposant écoute et retours constructifs pendant le temps de la (trans)formation. Elle sera aussi plus convaincante si le manager est lui-même exemplaire vis-à-vis des apprentissages proposés, s'il a suivi la même formation ou comprend *a minima* ses enjeux et difficultés.

Pourtant, les stratégies reposant sur des arguments rationnels et des gains espérés individuellement ne suffisent pas. Il est très fréquent qu'en dépit de tous les efforts menés pour montrer *rationnellement* au salarié les bénéfices qu'il va retirer du changement (et encore faut-il qu'il y en ait), celui-ci reste sourd au chant des sirènes, parce qu'il n'y voit pas *son intérêt*. Le changement se conjugue au présent, alors que les bénéfices se situent souvent dans le futur, sont hypothétiques et conditionnels. L'intérêt perçu *du point de vue du manager* (ou de l'entreprise) se confondra rarement avec l'intérêt perçu *du point de vue du salarié*. Au « voici ce que tu vas y gagner » de l'un, répond le « voici ce que je vais y perdre » de l'autre. Ce dialogue de sourds rend parfois le maniement du « *what's in it for me* » assez délicat.

Ouvrir l'opportunité de faire autrement

Nous avons dit au chapitre 1 que les directions et managers sous-estiment souvent l'envie que les salariés ont d'apprendre de nouvelles choses, de casser leurs propres routines et d'évoluer. Les premiers ont plutôt tendance à penser qu'il faut « pousser », « motiver », voire « contraindre », les seconds. On en vient ainsi à oublier une idée toute simple : pour amener les gens à changer, il suffit parfois seulement de leur ouvrir l'opportunité de le faire, puis de regarder ce qui se passe. Le *timing* peut être la clé de la réussite ou de l'échec d'un apprentissage en profondeur.

C'est ce qu'a fait le fabricant de meubles de bureaux Steelcase au sein de sa division Strategic Workforce Architecture and Transformation (SWAT) (Fuller *et al.* 2019). Celle-ci a créé une plateforme interne baptisée Loop où des salariés peuvent se porter volontaires pour travailler sur des projets qui ne relèvent pas de leurs fonctions habituelles. Lorsqu'un nouveau besoin émerge, l'entreprise peut ainsi facilement repérer les personnes qui ont les compétences et la motivation pour y répondre et celles-ci peuvent développer de nouvelles capacités et gagner en expérience, en sortant de leur routine. Le succès de la plateforme auprès des salariés a fait dire à Jill Dark, directeur de SWAT : « *Si vous donnez la possibilité aux gens d'apprendre des choses nouvelles ou de montrer leurs talents, ils donneront le meilleur d'eux-mêmes. La magie, c'est de donner l'opportunité*[1]. »

Anticiper la reprise par la formation volontaire à de nouveaux métiers chez American Express Carte France

American Express Carte France compte 700 salariés répartis en trois pôles d'activité : 1) les particuliers, dont une importante activité de

1. En VO : "*If you give people the opportunity to learn something new or to show their craft, they will give you their best work. The magic is in providing the opportunity.*"

conciergerie attachée aux cartes haut de gamme ; 2) les entreprises, qui recourent aux solutions de l'entreprise pour optimiser la gestion de leur trésorerie, procéder au paiement de leurs fournisseurs stratégiques, mais aussi pour leurs voyages d'affaires ; 3) les commerçants.

Au printemps 2020, la crise du Covid-19 a mis à l'arrêt ou fortement ralenti plusieurs de ces activités comme la conciergerie et les voyages d'affaires. Pour le commerce, certains secteurs ont été en forte hausse comme l'e-commerce, alors que d'autres se sont complètement arrêtés comme les restaurants, l'hôtellerie et la culture (musées, spectacles, etc.). 100 % des salariés sont alors placés en télétravail et l'entreprise s'engage à ne pas recourir au chômage partiel, ni aux licenciements durant l'année 2020. Mais les salariés dont l'activité est très fortement ralentie (à commencer par les services de conciergerie pour les clients privés disposants de cartes bancaires haut de gamme, dont l'activité est étroitement liée aux secteurs du tourisme et de la culture) n'ont pas grand-chose à faire. Le groupe met alors en place un vaste dispositif de formation interne basé sur le volontariat, permettant à ces salariés de venir prêter main-forte aux équipes dont l'activité est, à l'inverse, très dense (en premier lieu le service client, dont l'activité 24 heures sur 24, 7 jours sur 7, a pu être maintenue à distance). Le groupe entend ainsi développer les compétences sur les métiers dont il aura le plus besoin demain. « *Nous avons fait le pari de proposer à nos équipes de se former auprès de fonctions en tension, pour leur prêter main-forte, sur une base volontaire. Nous sommes impressionnés par leur flexibilité, ils sont nombreux à avoir joué le jeu* », explique Caroline Gaye, la directrice générale. « *On ne sait pas comment demain sera fait, mais développer aujourd'hui des compétences sur les métiers dont on aura le plus besoin demain est utile. Je pense notamment au service crédit, qui répond aux entreprises confrontées à des problèmes de trésorerie et sera tout aussi actif en sortie de crise. Ces équipes nouvellement formées nous permettent ainsi d'anticiper la reprise.* »

Source : D'après Institut de l'entreprise, *La Quotidienne des entreprises en action*, 30 avril 2020.

La limite des deux approches que nous venons d'examiner est qu'elles ont une portée essentiellement individuelle et que les résultats peuvent être assez aléatoires : certains ne seront ni convaincus ni intéressés par les bénéfices exposés, d'autres ne se saisiront pas des opportunités offertes. Or, dans le cadre qui nous occupe, c'est-à-dire pour transformer des pratiques de façon *rapide* et *à grande échelle*, les organisations doivent recourir à des méthodes agissant sur de larges collectifs et trouver des « *short cuts* ».

Allez-vous contraindre ou inciter ?

Collectivement, nous pouvons être amenés à adopter de nouveaux comportements à travers deux mécanismes : la contrainte et l'incitation.

Contraindre est démodé (et inefficace)

La contrainte explicite est bien connue : c'est le « *command, control, punish* ». L'introduction de nouvelles règles, assorties de sanctions qui seront appliquées en cas d'infraction, reste l'une des composantes importante des politiques publiques. Cependendant, les sciences comportementales (psychologie, neurosciences, sciences de l'éducation) montrent que les contraintes de ce type sont contraires aux apprentissages profonds. Elles produisent rarement une intériorisation du nouveau comportement attendu, font naître des résistances et des comportements d'évitement ou de simulation. Elles sont peu adaptées aux travailleurs éduqués, mobiles et exigeants d'aujourd'hui. La contrainte *situationnelle*, en revanche, comme celle que nous avons vécue en 2020 avec l'épidémie de Covid-19, reste particulièrement agissante pour produire des changements de pratiques à grande échelle, mais on ne peut guère la souhaiter. Nous l'aborderons en règle n° 6 (*case for change*) pour des contextes moins extrêmes.

Inciter, pas si facile

Mieux vaut donc recourir aux incitations. Ces incitations reposent à la fois sur les intérêts perçus et compris des acteurs rationnels, mais aussi sur la prise en compte des biais et des leviers qui permettent d'orienter les choix de ces derniers.

Choix rationnels et rationalité limitée

Agir sur le choix rationnel des individus revient avant tout à agir sur la dimension extrinsèque de la motivation, comme on l'a vu au début de ce chapitre, avec toutes les limites en termes d'engagement et de résultats[1], plutôt que sur les dimensions intrinsèques de la motivation, beaucoup plus subtiles et multiformes.

Comme il a été expliqué au chapitre 2, les acteurs en entreprise prennent des décisions en fonction de leur intelligence de la *situation*, en tenant compte des informations à leur disposition, du temps et des capacités dont ils disposent pour les traiter (rationalité limitée). Quand un décideur arrive avec une idée de changement, il est souvent persuadé que ce qu'il veut faire est bon pour l'entreprise et bon pour les salariés de l'entreprise. Malgré des explications exhaustives, il sera surpris de ne pas déclencher l'enthousiasme qu'il semblait mériter. Face au dirigeant, concentré sur la valeur de son plan et les améliorations perçues de son point de vue, les salariés de leur côté voient immédiatement ce qu'ils vont y perdre. L'oubli de « la perte » (et de la compensation de la perte) est l'une des premières pierres d'achoppement des projets de

1. L'économiste Daniel Cohen rapporte l'exemple suivant dans son ouvrage *Homo Economicus, prophète (égaré) des temps nouveaux* (2012). Dans une crèche en Israël, le directeur a voulu lutter contre les retards constants des parents pour venir chercher leurs enfants. Il a donc décidé d'instituer une taxe : les parents devaient payer 10 dollars par heure de retard. À la stupéfaction du directeur, dès le lendemain, les parents retardataires ont été trois fois plus nombreux. L'explication est simple : avant la taxe, les parents essaient d'être à l'heure au nom d'un impératif moral. Dès lors qu'on leur impose une pénalité, ils changent immédiatement l'échelle de valeurs à laquelle ils rapportent leurs actes : ils calculent que 10 dollars, c'est le prix d'une baby-sitter…

changement. Plus qu'un oubli, il s'agit souvent d'une méconnaissance du système réel de travail. Le dirigeant n'a simplement aucune idée de ce que les gens vont « perdre » (ou gagner), parce qu'il ne connaît pas la façon dont le travail est réellement fait, ni quelles sont les stratégies mises en œuvre par les travailleurs pour atteindre des objectifs donnés, leurs sources réelles de satisfaction ou d'insatisfaction dans leur travail au quotidien[1].

Si les personnes n'agissent pas comme on le leur demande, c'est donc qu'elles n'y voient pas leur intérêt et que ce n'est pas du tout *rationnel de leur point de vue*. Un tel constat ouvre la voie à de nouveaux leviers systémiques de changement. Plutôt que d'agir directement sur les comportements, il faut créer des contextes et des situations dans lesquels les personnes trouveront intérêt à travailler autrement. Mathieu Serres, responsable du programme Simplicity chez L'Oréal, résume ainsi le principe : « *Pour faire changer les comportements, vous savez bien que l'injonction ne suffit pas ! Les comportements sont liés à des contextes de pression, à des situations qui génèrent des comportements qui sont rationnels du point de vue des collaborateurs. Donc, il faut d'abord changer les situations pour générer des comportements plus adaptés à nos enjeux.* »

Transformer le rôle de chef de projet par une approche systémique

Il y a quelques années, cette entreprise de produits de grande consommation avait identifié que la gestion de projets n'était pas satisfaisante à travers toute l'entreprise. De nombreux entretiens ont alors été menés dans toutes les divisions afin d'identifier quels étaient les obstacles principaux. Parmi les points identifiés : la

1. De nombreux travaux de la sociologie des organisations, depuis Michel Crozier (1977) jusqu'à Pascal Ughetto (2018) en passant par Yves Clot ont multiplié les exemples extrêmement parlants à ce sujet. Voir par exemple, in François Dupuy (2004) : le dilemme de la shampouineuse, p. 119, le « cordo » et le retard, p. 136.

fonction de « chef de projet » était très insuffisamment valorisée. Les chefs de projet étaient le plus souvent désignés en fonction de leur disponibilité, la tâche était considérée comme venant en plus de leur travail ordinaire, elle n'était pas toujours considérée comme nécessitant une expertise spécifique et n'engendrait pas de reconnaissance particulière.

Il fallait donc changer le rôle et la posture du chef de projet au sein de l'organisation, et pas seulement ses méthodes. Le programme de changement a été conçu de façon systémique, avec un dispositif en trois volets : formation, politique de ressources humaines, communication.

La formation a concerné toutes les personnes impliquées, de près ou de loin, dans la gestion de projets afin de construire des méthodes et un langage commun. Le programme de formation a été segmenté selon la complexité des projets à gérer et le niveau de maturité des participants en matière de gestion de projets.

Le volet RH a consisté à inclure « le rôle » de chef de projet dans le plan de carrière des personnes. Désormais, avoir exercé plusieurs fois un rôle de chef de projet est considéré comme une étape nécessaire dans l'évolution de la carrière, notamment pour les postes à l'international.

Cerise sur le gâteau, l'entreprise a favorisé l'animation d'une communauté de chefs de projets partageant leurs parcours et leurs pratiques, y compris en donnant envie d'y participer à ceux qui n'en étaient pas encore membres...

Biais cognitifs

Les découvertes de la psychologie cognitive sont venues conforter l'idée de rationalité limitée, en montrant comment les processus d'attention et de perception qui alimentent le processus de prise de décision sont *orientés et sélectifs*. Il est physiologiquement et intellectuellement impossible de capter toutes les informations de notre environnement, et encore moins de les traiter. La perception, c'est-à-dire le processus d'organisation et d'interprétation de l'information captée qui permet de donner sens à notre environnement, est, elle aussi, la résultante d'habitudes et d'entraînement[1]. Loin d'être purement « irrationnelles », nos décisions sont au contraire le fruit d'une rationalité orientée et alimentée par ces processus d'attention sélective et de perception, qui permettent de gagner du temps, d'économiser de l'énergie, et de réagir vite, sur la base de l'intériorisation des millions de décisions – conscientes et inconscientes – que nous prenons chaque jour.

Pour définir plus précisément ces biais et orientations, les économistes et psychologues comportementaux[2] ont développé les concepts de *biais cognitif* et d'*heuristique*. Les heuristiques sont des raccourcis mentaux, des règles simples et approximatives que notre système cognitif met en place afin d'alléger la complexité du traitement de l'information, et nous permettre d'adopter une solution rapidement et à moindre coût de traitement. Les décisions qui résultent d'un processus de rationalité délibérée, lent et qui reposent sur un raisonnement explicité dans ses différentes étapes, sont coûteuses en énergie cognitive. Ainsi, quantitativement, la plupart de nos « décisions » et de nos comportements sont régis par des processus rapides, réflexes ou automatiques. Le fameux « instinct » du détective aguerri ou du sportif qui surprend par ses gestes techniques et sa clairvoyance du jeu en pleine action.

1. Un exemple original de formation destinée à améliorer la qualité des perceptions de professionnels pour qui l'observation est une compétence clé est cette initiative de la police de New York. Des officiers de police sont formés à l'art de l'observation et de la déduction par des historiens de l'Art dans le cadre de séances d'analyses de tableaux célèbres, pour affiner leur sens de la perception et la manière de communiquer leurs observations. Voir l'article de Neal Hirschfeld « Teaching cops to see », sur le site www.smithsonian.com : https://www.smithsonianmag.com/arts-culture/teaching-cops-to-see-138500635/
2. Voir les travaux du Prix Nobel d'Économie 2002 Daniel Kahneman, de Dan Ariely, Rolf Dobelli, etc.

Quand certaines de ces prédispositions deviennent ancrées et causent des distorsions systématiques de nos perceptions, on parle alors de biais cognitifs.

Focus ◆ Quelques exemples de biais cognitifs

- **Biais d'attention** : avoir ses perceptions influencées par ses propres centres d'intérêt.
- **Biais de cadrage** : être influencé par la manière dont un problème est présenté.
- **Biais de confirmation** : tendance à valider ses opinions auprès des instances qui les confirment, et à rejeter d'emblée les instances qui les réfutent.
- **Biais d'ancrage** : difficulté à se départir de l'influence laissée par la première impression, qui pousse à se fier à l'information reçue en premier dans une prise de décision
- **Effet d'ambiguïté** : tendance à éviter les options pour lesquelles on manque d'information.
- **Biais d'optimisme** : tendance à être excessivement optimiste quant à la probabilité d'un résultat positif et de sous-estimer les conséquences négatives.
- **Aversion à la dépossession** : tendance à donner plus de valeur à un bien ou un service lorsque celui-ci est notre propriété.
- **Aversion à la perte** : tendance à attacher plus d'importance à une perte qu'à un gain du même montant.
- **Biais rétrospectif** ou effet « je le savais depuis le début » : tendance à juger *a posteriori* qu'un événement était prévisible.
- **Biais de *statu quo*** : la nouveauté est vue comme apportant plus de risques que d'avantages possibles et amène une résistance au changement.

Source : Kahneman D. (2011)

Le pouvoir des nudges

À partir des connaissances nouvelles sur l'esprit et le comportement humain ouvertes tant par les sciences cognitives que par l'économie comportementale, l'économiste Richard Thaler, prix Nobel d'Économie en 2017, et son collègue juriste Cass Sunstein, ont présenté une théorie esquissant la possibilité d'un nouveau type d'incitation : l'incitation comportementale, plus connue sous le nom de « *nudge* » (Thaler, Sunstein, 2008). L'idée centrale est qu'il est possible de prendre appui sur les biais cognitifs pour créer des incitations à agir dans le sens du comportement désiré, qui seront beaucoup plus efficaces que des stratégies directes comme la directive, la norme, l'explication ou les contreparties financières.

Le but du nudge est simple : faciliter le passage de l'intention à l'action. Pour cela, il repose sur un principe essentiel, celui de *l'architecture de choix*. L'hypothèse est qu'il est possible de modifier les options qui se présentent à l'individu afin de guider sa prise de décision, sans pour autant réduire le nombre de ses options ou le contraindre formellement vers un choix (voir encadrés ci-dessous). Cette approche centrée sur le réagencement de l'environnement décisionnel de l'individu ciblé est ainsi baptisée « incitation douce », reposant sur la philosophie du paternalisme libertaire[1] et le principe de publicité tel que défini par Rawls ou Habermas (Mohr, 2010).

Le succès du nudge a été retentissant dans le domaine des politiques publiques, car sa mise en œuvre est généralement considérée comme à faible coût et de nombreux exemples témoignent de son efficacité.

1. « Le paternalisme libertaire est une vision du politique qui combine deux postulats. Elle est "paternaliste" en ce qu'elle repose sur l'idée qu'il est légitime d'influencer le comportement des gens pour les aider à vivre plus longtemps, mieux et en meilleure santé. Ces objectifs seraient implicitement partagés par chacun(e), tout en étant régulièrement contrecarrés par des erreurs de jugement et des biais psychologiques. Cette vision est "libertaire" en ce que la liberté de choix des personnes doit néanmoins ne jamais être limitée. En cela, les outils classiques de la réglementation et de la taxation sont, pour les tenants du paternalisme libertaire, à éviter. » Huyard (2016, p. 1130).

L'exemple classique utilisé par Thalberg étant les autocollants de mouches placés dans les urinoirs de l'aéroport Schiphol d'Amsterdam, qui incitent les utilisateurs à mieux « viser » et réduisent d'autant les éclaboussures, et donc le temps de nettoyage des toilettes.

Pour autant, les nudges conçus pour les politiques publiques dans un souci d'intérêt général ne sont pas exempts de critiques et de débats (Huyard, 2016). Un simple courriel de rappel permet d'augmenter de 36 % le taux de vaccination contre la grippe. Cependant, certains cas sont d'emblée plus complexes, si l'on considère les enjeux éthiques de nudges portant, par exemple, sur le don d'organe. Les pouvoirs publics peuvent souhaiter encourager les individus à *demander* une carte de donneur d'organe, dans le cas où cette décision correspond à un choix préalable de l'individu, mais d'un point de vue éthique, il semble plus délicat d'encourager les citoyens à orienter leur choix dans tel ou tel autre sens par respect des croyances et convictions intimes de chacun.

Focus • Le Nudge : un processus en quatre étapes

- **Étape 1** : Heilman (2014) relève que les nudges sont indiqués dans l'hypothèse où, initialement, le système cognitif réflexif des personnes accepte le choix que l'on qualifiera de raisonnable tandis que leur système cognitif automatique ne le fait pas. Si les deux systèmes cognitifs étaient d'emblée alignés sur le choix raisonnable, l'intervention serait inutile, et si les deux systèmes cognitifs étaient au contraire d'emblée opposés au choix raisonnable, l'intervention aurait peu de chances de réussir à les y amener sans recourir à une forme de contrainte. Cette hypothèse est fondamentale pour bien comprendre le mode d'action des nudges. En outre, elle doit être vérifiée pour qu'ils soient acceptables aussi sur le plan éthique, et ne se réduisent pas à une simple manipulation.

- **Étape 2** : le nudge vise alors concrètement à faire que le système cognitif automatique accepte lui aussi le choix raisonnable, par une mise en scène des choix qui active des mécanismes comportementaux spécifiques.
- **Étape 3** : la revendication de préservation de la liberté des personnes implique ensuite que les personnes puissent corriger le choix qu'elles ont fait sous l'influence du nudge. Cette étape est là aussi cruciale si le paternalisme doit être libertaire.
- **Étape 4** : enfin, les personnes décident, idéalement en optant volontairement pour le choix raisonnable, mais sans avoir eu à engager une réflexion complexe, chronophage ou coûteuse.

Les étapes 1 et 3 permettent de distinguer les nudges canoniques des autres techniques d'action sur le comportement humain. Les nudges canoniques portant sur l'ignorance, l'inertie, le manque de maîtrise de soi, et autres biais et erreurs dans le jugement, fonctionnent, conformément à la description idéale, sur les quatre points. Ce sont par exemple les informations nutritionnelles ou le choix d'une taille par défaut pour les produits alimentaires. Dans d'autres modes d'action sur le comportement, il y a un problème à l'étape 1 (hypothèse fondamentale non vérifiée) ou à l'étape 3 (correction de la décision impossible).

Source : Extrait de Caroline Huyard (2016), d'après Conrad Heilmann (2014).

Il est alors évident que l'utilisation de nudges dans les entreprises doit faire l'objet de la plus grande attention quant aux intentions et aux enjeux éthiques. Le nudge, pour ne pas être une manipulation pure et simple, doit respecter un impératif de publicité ou transparence (étape 3 : pouvoir corriger le choix fait sous l'influence du nudge), et partir d'une situation où l'on peut vérifier que les deux systèmes cognitifs, intuitif et réflexif, ne sont pas alignés (je veux me faire vacciner contre la grippe, mais j'ai peur des piqûres). Dans les autres cas, il s'agit de manipulation. En effet, il est important de rappeler que les individus nudgés doivent garder la main sur le choix final, et rester conscients d'être soumis à un dispositif qui cherche à modifier l'*architecture* de leur choix.

Et vous, quelles incitations collectives au changement allez-vous concevoir ?

Pour concevoir des incitations efficaces, qu'il s'agisse de nudges ou pas, il est possible de transposer le principe EAST – *make it Easy, Attractive, Social and Timely* – mis au point par l'équipe de sciences comportementales créée en 2010 par le gouvernement Cameron, la Behavioral Insights Team (UK BIT). Une incitation, pour être efficace, doit être simple, attractive, sociale/collective et proposée au bon moment.

Voici quelques exemples d'incitations collectives au changement.

Vous avez demandé la simplicité, ne quittez pas

Simplicity, c'est justement le nom du nouveau programme de L'Oréal, initié et porté au plus haut niveau du groupe. Il est tout sauf simpliste. Il s'agit d'un changement organisationnel interne de grande envergure, une transition du management, pour insuffler une nouvelle dynamique aux équipes et appuyer une vision stratégique agile de l'entreprise. Elle témoigne d'une approche systémique de la transformation : changer les contextes et les situations pour produire de nouvelles façons de travailler.

Le groupe mondial de cosmétiques est confronté à un triple défi : les comportements des consommateurs qui changent à grande vitesse avec une omniprésence des réseaux sociaux ; la transformation des circuits de distribution (montée du e-commerce) ; les attentes des équipes dans leur relation au travail. Relever ces défis nécessite un notable changement du *mindset* par rapport à des modes de travail qui restent encore trop verticaux, en silos et qui ne permettent pas une rapidité suffisante.

Quatre leviers ont été identifiés dans ce but.

Le premier levier est de donner un cadre, un « frame », c'est-à-dire d'être très clair sur les objectifs majeurs que le projet cherche à atteindre et sur les marges de manœuvre pour les équipes (« *enable freedom within a frame* »).

Le deuxième consiste à manager la complexité au bon niveau. Pas trop haut dans l'organisation et en transversal, en croisant métiers et fonctions. Il s'agit de gérer les tensions business par *la subsidiarité*, c'est-à-dire aussi bas que possible.

Le troisième consiste à accélérer *la coopération*. On sait que la coopération ne va pas de soi dans les grandes entreprises. Mais la coopération peut être organisée. Par exemple, en donnant des objectifs business communs à différents acteurs pour les obliger à coopérer s'ils veulent atteindre leurs résultats. Par exemple, en reconnaissant la coopération comme un *leadership skill*. Par exemple, en développant des pratiques de feedback bienveillantes, ce que traditionnellement les entreprises anglo-saxonnes font beaucoup mieux que les entreprises françaises construites sur une grande distance hiérarchique[1].

Le quatrième consiste à s'attaquer aux « *painpoints* » – ces points récurrents qui compliquent, exaspèrent et rendent difficile le travail au quotidien. Un exemple, les réunions : qui doit y participer ? Comment permettre qu'on y résolve vraiment les problèmes ? L'Oréal a développé une app (#greatmeeting) qui permet d'évaluer la qualité des réunions, ce qui conduit progressivement à en améliorer l'efficacité.

L'Oréal a aussi explicité les nouveaux comportements attendus par une série d'affiches qui sont placardées, en rappel, dans tous les bureaux à travers le globe. Ces attendus sont formulés de façon simple et puissante, mais surtout ils sont cohérents avec l'ADN de l'entreprise – culture de la perfection, esprit d'innovation et de conquête.

1. Le Power Distance Index ou indice de Hofstede classe la France parmi les pays à forte distance hiérarchique.

Un ambitieux programme de formation expérientielle pour le management est adossé à Simplicity : trois jours pour travailler sur les leviers et les mettre en œuvre, très concrètement, avec des exercices de co-développement en situation. 11 000 managers ont ainsi été formés en trois ans. La grande cohérence de la firme est que tous les programmes de formation portant sur des *hard skills* (digital, compétences métiers) ou sur d'autres sujets de transformation renvoient à *Simplicity*.

Rendre le changement attractif, ludique et fun

Pour rendre un changement attractif, rien de tel que de le rendre amusant. Cela fait longtemps que la pédagogie par le jeu (*gamification* ou ludification) a acquis ses lettres de noblesse. Certains concepts de philosophie peuvent être rendus plus accessibles en analysant la saga Harry Potter qu'en abordant directement Platon et Spinoza (Chaillan, 2015). Albéric Tellier (2017, 2020), professeur de stratégie et de management de l'innovation à l'Université Paris-Dauphine, utilise le monde de la musique pour proposer des analyses contextualisées de concepts de management, à partir de disques mythiques ou des stars du rock et du hip-hop. Dans *Le Cercle des poètes disparus* (1990), le professeur Keating joué par Robin Williams ancre dans le corps de ses élèves le développement de l'esprit critique, en les faisant monter sur leur bureau de façon à changer leur perspective sur la salle de classe. Toutes ces techniques reposent sur la prédisposition humaine naturelle au jeu et à l'amusement. Leur but est d'augmenter l'acceptabilité, l'intérêt, la curiosité, et d'inciter à l'usage de contenus, applications ou comportements nouveaux. Elles cherchent à obtenir des personnes des comportements actifs et impliqués sur des tâches qu'elles n'auraient *a priori* pas envie de faire, car considérées comme sans intérêt ou rébarbatives. Les techniques de gamification n'ont rien de très nouveau, mais elles ont été remises au goût du jour par l'irruption massive des jeux vidéo, des jeux de rôle et du numérique (*hackathons*).

Plusieurs mécanismes de ludification peuvent être activés. Les plus fréquents sont les récompenses issues ou non d'une « compétition » (les bons points de l'école élémentaire, les classements du « meilleur employé du mois », les concours), mais celles-ci sont souvent considérées comme n'agissant pas sur la motivation profonde et produisant des résultats de court terme. D'autres mettent davantage l'accent sur l'idée de défi et de progression, de niveaux qu'il est possible de franchir à travers ses actions. Ces principes atteindraient davantage la motivation dite intrinsèque.

Attention, toutefois, à ne pas en faire trop dans la catégorie du « fun » : certains y sont totalement allergiques dans les contextes de travail, considérant qu'ils « ne sont pas là pour s'amuser ».

Améliorer la collaboration entre les départements d'une organisation

Pour améliorer la collaboration entre ses différents départements mais aussi pour stimuler la mobilité interne, cet organisme d'assurances sociales a conçu un « passeport » contenant cinq vouchers pour un « voyage » dans un autre service de l'entreprise.

Les passeports étaient donnés par les managers aux collaborateurs, ils avaient une validité de 6 mois, et chaque voucher ouvrait droit à passer une demi-journée dans le service de son choix. Au bout d'un an, le service ayant reçu le plus de vouchers recevait une récompense.

Un nudge visait plus précisément la mobilité interne. Les employés étaient encouragés à prendre en considération une mobilité dans un autre service à travers les encouragements et les témoignages positifs des salariés, qu'ils recevaient de la part du service de destination (recommandation par les pairs).

Résultats : 80 % des salariés interrogés dans le cadre d'un baromètre ont affirmé travailler davantage avec les autres départements qu'auparavant et mieux connaître leurs collègues et leurs rôles. 22 % des salariés considéraient que le nudge avait rendu leur mobilité possible.

Source : https://bvanudgeunit.com/cases/#gallery547

Utiliser le levier du social et du collectif

En interne, dans les petites structures, le collectif peut être renforcé par une ludification de certains rituels. Ainsi, dans une PME d'événementiel spécialiste de la gamification, la directrice commerciale a mis en place un rituel visant à renforcer la cohésion pour fêter les victoires du quotidien : l'équipe a choisi une musique qui est jouée à chaque signature d'un devis. « *Quand cette musique résonne, tout le monde est content* » explique la directrice commerciale. Cela donne un côté fun sans exacerber la compétition directement. On écoute ensemble la musique, pas besoin d'expliciter le nom du commercial qui aura fait signer le devis. C'est avant tout un moment d'équipe qui renforce la cohésion et stimule le collectif.

Tous les collectifs ne fonctionnent pas au même carburant. Il s'agit donc également d'adapter les leviers appropriés en fonction du type de collectif. Pour engager des participants, certaines entreprises proposent des activités artistiques lors de formations ou de séminaires de conduite du changement. S'exprimer, évoquer ses émotions et donner de sa personne : cela ne fonctionnera pas si le public est d'emblée réfractaire et révolté contre une nouvelle mesure, ou si l'on cherche à engager un public qui a plutôt l'habitude de rester en retrait (par exemple, des agents administratifs, des ouvriers). Pour engager une dynamique collective, on va alors plutôt le faire de manière progressive, sans implication personnelle et directe, mais en privilégiant la participation du *groupe*, par exemple, à un spectacle en tant que *spectateurs*. Pour susciter des réactions et une participation à un débat collectif, il sera plus judicieux de faire travailler les participants en sous-groupes, afin de pouvoir s'appuyer sur des individus qui accepteront de se faire les porte-parole, et en comptant sur les effets d'influence sociale entre les groupes.

Dans le monde universitaire, les étudiants sont souvent stressés par les révisions, les montagnes de connaissances à apprendre et restituer de manière pertinente. La mémorisation, rassurante pour certains, peut au contraire susciter la peur et le découragement chez d'autres. L'entreprise Lego© a développé une offre « *serious play* » qui permet aux enseignants d'utiliser des briques de lego à des fins pédagogiques. Les séquences d'apprentissage ou révisions fondées sur cette méthode mettent en avant la réflexion et la résolution de problèmes en équipe, demandent un engagement actif des participants, fédèrent les collectifs et améliorent la créativité individuelle et collective.

Introduire le changement au bon moment

L'enseignement numérique, cela fait longtemps qu'on en parle à l'Éducation nationale. De nombreux dispositifs ont été installés en ce sens : les ENT, Espaces numériques de travail, la classe virtuelle du CNED et de très nombreuses ressources pédagogiques en ligne. Pourtant, ce lundi 16 mars 2020, c'est la panique. Suite à la fermeture des écoles dans le cadre de l'épidémie de Coronavirus (Covid-19), 12 millions d'élèves et plus de 900 000 enseignants se retrouvent chez eux sans école. La saturation des systèmes est patente, et les enseignants recourent vite au système D, en utilisant Snapchat ou WhatsApp pour instaurer des boucles de contact avec les élèves et leurs parents, en utilisant la fonction photo de leur téléphone portable pour envoyer cours et exercices. Si la relation numérique entre établissements, élèves et parents est à ce moment-là une habitude déjà installée, il n'en va pas de même pour la fabrication des cours à distance ni pour la pédagogie en ligne. Jusque-là, les outils numériques venaient en renfort et en appui du cours, et non à la place du cours. «*Or, un cours fait en classe et un cours fait pour être mis en ligne, ce n'est pas la même chose. Il y a tout un transfert pédagogique et didactique à imaginer*», expliquait alors Philippe Vincent, secrétaire général du principal syndicat de chefs d'établissement[1].

Au terme de cette expérience extrême, toute l'Éducation nationale aura progressé de façon empirique, massive et en *live* dans l'usage du numérique à distance et dans les pratiques pédagogiques innovantes telles que la personnalisation des apprentissages. Il était temps. En 2018, un rapport au Sénat intitulé *Prendre en main notre destin numérique : l'urgence de la formation*[2] indiquait que «l'utilisation du numérique par les enseignants reste en grande majorité traditionnelle et est cantonnée à la préparation des cours ou à une utilisation exclusive par l'enseignant pendant le cours». L'auto-formation massive et sur le tas, ouverte par la crise, aura sans doute davantage fait pour les pratiques numériques à l'école que 50 ans de rapports et de plans divers. Elle a cependant été rendue possible par le fait que les équipements de base existaient et qu'une sensibilisation avait été opérée, ne serait-ce que par la pratique personnelle du numérique. Nul doute que les enseignants vont prolonger les découvertes qu'ils auront faites durant la période de confinement et feront usage de la liberté pédagogique que les circonstances ont créée. Ou comment faire de l'*upskilling*@scale sans vraiment l'avoir voulu.

---

1. *Les Échos*, 13 mars 2020.
2. Rapport d'information n° 607 (2017-2018) de Mme Catherine Morin-Desailly, fait au nom de la commission de la culture, de l'éducation et de la communication, déposé le 27 juin 2018.

Et maintenant, ACTION !

Managers

- Aider les collaborateurs à découvrir leurs motivations de développement professionnel, en jouant sur une gamme qui va de l'intérêt personnel à court terme au plaisir de l'aventure collective.
- Faire auprès de votre équipe la publicité des formations proposées par votre entreprise en étant concret sur pourquoi promouvoir telle formation auprès de qui.
- Inciter vos collaborateurs à explorer et à mobiliser leur compte professionnel de formation (le CPF), même en dehors de l'entreprise.

RH

- Construire sa propre conviction sur les impacts des sciences comportementales / des nudges / des jeux en formation, pour dépasser la critique « on se fait manipuler » / « on n'est pas des enfants », et chercher ce qui va vraiment inciter les collaborateurs à rentrer dans une dynamique d'apprentissage.
- Construire une vision partagée sur les apports des formations hors de l'entreprise permises aujourd'hui par le CPF.

Comex

- Agir sur les contextes et les situations pour produire de nouvelles façons de travailler, en dépassant la seule incantation exercée à l'échelon individuel.

Règle d'or n° 3

Passer à l'acte, ici et maintenant !

Commençons par une petite histoire.

> **Martin et l'apprentissage de nouveaux logiciels d'analyse de données**
>
> Martin est un consultant expérimenté. Il travaille dans un cabinet de conseil international qui a engagé un effort considérable pour développer les compétences numériques de ses équipes : analyse de données et visualisation sont jugées indispensables dans un avenir proche – les logiciels permettant ces fonctionnalités seront bientôt l'équivalent de Word et Excel.
>
> Concrètement, Martin a été invité à participer à une formation de deux jours – obligatoire pour tous –, marquant l'importance et l'investissement que la direction du cabinet accorde à cet apprentissage. La formation commence d'ailleurs par une pastille vidéo du grand patron qui témoigne de l'impérieuse nécessité de l'*upskilling*.
>
> Martin s'est inscrit de bonne grâce à l'une des premières sessions. Depuis son apprentissage de PowerPoint sur le tas, il n'a suivi

aucune formation de ce type, et il n'est pas au fait des nouveautés qui enthousiasment certains collègues. Pourtant, il est convaincu de l'impact qu'aura le *big data* sur les organisations et dans le champ du management.

Il se retrouve en salle de formation avec des collègues de différents âges et niveaux de séniorité. C'est rare ! Le voici plongé pendant deux jours dans un apprentissage intensif, avec mise en pratique immédiate sur son ordinateur des consignes données par les animateurs : ce sont deux jeunes « ambassadeurs » du digital qui maîtrisent bien ces nouveaux outils logiciels. Martin a un peu de mal à suivre, mais pas de souci : l'animateur bienveillant se penche avec lui sur son ordinateur ou, mieux, fait directement les opérations qu'il a des difficultés à réaliser.

Restitution en collectif : bravo pour la puissance de l'outil ! Des visualisations remarquables, chapeau l'artiste !

***

Deux mois après, Martin n'a rien mis en pratique. Dans les temps collectifs avec son équipe, qui a aussi suivi la formation, aucun échange n'a lieu sur ces nouveaux outils, et personne ne recherche l'occasion ou le prétexte pour les mettre en œuvre.

Martin sait que son entreprise considère l'*upskilling* digital comme une priorité et que beaucoup de temps et d'argent y ont été investis… Pourtant il n'a pas fait évoluer ses pratiques, ni celles de son équipe.

Martin n'est pas une exception. Quelle que soit la qualité du contenu ou les modalités des formations dispensées, qu'elles soient conçues et mises en œuvre en interne comme en externe, celles-ci butent souvent sur des mises en application très faibles. La qualité des apprentissages est une condition nécessaire mais largement insuffisante du *transfert des acquis*. Ce n'est pas parce qu'un individu apprend quelque chose en formation qu'il l'utilisera lors de son retour au travail. Selon Jonathan Pottiez (2017), expert en management de la formation, le taux de transfert est en moyenne de 10 à 30 %, cela signifie que lorsque l'on investit

100 dans la formation on peut n'en retirer que 10 en termes de compétences réellement développées[1]. Or, c'est bien la mise en application effective des compétences ayant fait l'objet de l'apprentissage et la transformation des comportements qui en résulte, qui intéressent les commanditaires des formations.

Le décalage important entre les efforts de formation et les résultats provient du fait que la formation n'est souvent pas appréhendée par les entreprises comme un processus d'ensemble visant un résultat mesurable, mais comme une obligation de moyens correspondant à un niveau de dépenses. L'indicateur principal de la formation demeure encore trop souvent le nombre d'heures de formation dispensées et le nombre de personnes ayant bénéficié d'une formation, dans une logique de respect ou de dépassement des obligations légales valorisable dans le cadre du dialogue social : « X % de nos salariés ont été formés ». Le point aveugle reste le cœur du réacteur, à savoir l'impact des formations les plus structurantes sur les comportements des équipes, et *in fine* sur l'organisation (Pottiez, 2017). Il nous semble que le droit à la formation doit être combiné avec un devoir d'efficacité de la formation pour l'apprenant comme pour l'organisation. Autrement dit, quels sont les bénéfices opérationnels des formations dispensées ?

Le modèle de Kirkpatrick pour évaluer les formations

En 1959, un chercheur américain, Donald Kirkpatrick, s'interroge sur les effets des formations. Il propose alors un modèle d'évaluation en quatre niveaux qui s'est encore affiné depuis[2].

1. https://www.blog-formation-entreprise.fr/nouveau-modele-kirkpatrick-apports-fonction-formation/
2. Voir kirkpatrickpartners.com

Figure 9 – Le modèle de Kirkpatrick

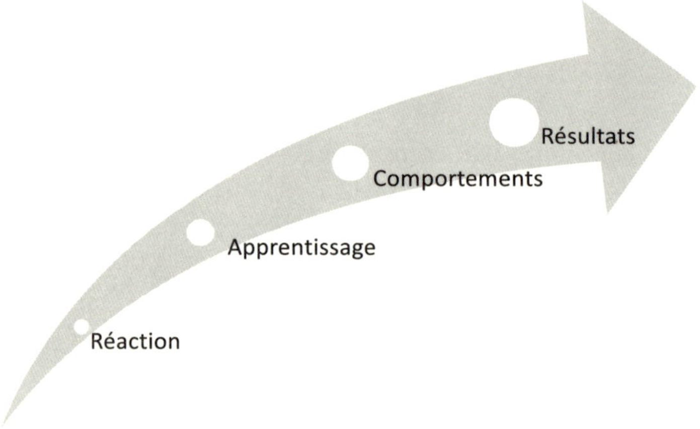

Source : Auteurs, d'après Kirkpatrick (1959)

Le niveau 1 – Réaction *(Reaction)* : évaluer si les participants trouvent la formation satisfaisante et pertinente par rapport à leur travail. C'est le niveau de base du questionnaire post-formation visant à mesurer la satisfaction du collaborateur et permettant de mesurer de son point de vue la pertinence du contenu (facilité ou difficulté, qualité des exercices ou de l'animation), le caractère utile ou non de la formation pour son travail, mais aussi son adhésion affective au processus.

Le niveau 2 – **Apprentissage *(Learning)*** : mesurer ce que les participants ont acquis en matière de connaissance ou compétences mais aussi la confiance et l'engagement développés. Les mesures se font en aval de la formation. De nombreux organismes de formation proposent désormais ce type de mesure.

Le niveau 3 – Comportement (*Behavior*) : mesurer à quel point les participants appliquent ce qu'ils ont appris en formation lorsqu'ils sont de retour au travail. C'est à ce niveau que le transfert des acquis passe pour partie de l'apprenant à l'ensemble de l'organisation.

Le niveau 4 – Résultats : mesurer l'impact de la formation sur la performance de l'entreprise. Cela peut prendre différentes formes : réduction des coûts, amélioration de la qualité, baisse des taux d'accident, taux d'innovation, nombre de projets réussis, etc.

La formation s'évalue donc à plusieurs niveaux. Cependant, la question de l'évaluation ne nous intéresse pas ici *stricto sensu,* mais suggère de penser la formation comme un processus dont le niveau 3 – le transfert des acquis et l'ancrage des comportements – constitue le point central et trop souvent négligé. Le transfert des acquis doit être pensé comme un continuum avec un avant, un pendant et un après.

Un *continuum* avant, pendant et après

Le transfert des connaissances n'est pas spontané chez un apprenant. Il fait appel à des mécanismes de contextualisation, décontextualisation et recontextualisation, qui favoriseront l'utilisation des apprentissages dans de nouveaux contextes par rapport à la situation initiale de formation. Le transfert nécessite la création intentionnelle d'un contexte « *transférogène* » qui doit être pensé dès l'amont de la formation.

Avant la formation

Il paraît nécessaire de travailler sur le sens et le contexte de la formation à travers une sensibilisation des collaborateurs dans un temps qui précède la formation. Pourquoi est-il nécessaire d'acquérir ces nouveaux savoirs ou comportements ? En quoi sont-ils utiles pour les pratiques professionnelles futures et l'employabilité du salarié ? Que vont-ils changer dans le travail et dans le rapport au travail de l'apprenant ? La participation active du manager sera requise pour donner du sens à l'apprentissage et traduire les attendus de la formation en objectifs concrets pour le service et pour le collaborateur, comme nous l'avons vu à la règle n° 2. De même, comme dans l'exemple de Martin, l'intervention de la direction générale sera souvent la bienvenue pour situer les apprentissages dans le contexte plus large de la stratégie ou de la transformation de l'entreprise (voir aussi Règles n° 7 et n° 9).

Pendant la formation

Pour activer les mécanismes de transfert au sein de l'expérience de formation, celle-ci doit permettre à l'apprenant de relier les nouveaux savoirs avec son expérience préalable *et* avec son expérience future. Elle doit donc être construite en prenant en compte l'expérience passée des collaborateurs et travailler à leur projection dans leurs futures situations concrètes de travail. Elle doit stimuler les liens entre l'action de formation et l'action en situation de travail. L'exemple de la formation dispensée aux métiers de l'audit chez PwC (voir encadré ci-après) permet de rendre compte de l'efficacité d'une formation quand elle est reliée au contenu concret du travail des collaborateurs.

Après la formation

L'après, c'est en réalité le moment clé où tout commence (ou s'arrête comme dans le cas de Martin). Dès l'amont, il faut avoir réfléchi aux actions futures destinées à favoriser la mise en œuvre des comportements attendus. L'apprenant devra prolonger l'apprentissage par de l'expérimentation et être soutenu par des échanges. Ainsi, la formation « formelle » n'est qu'une composante du processus de formation. L'essentiel du transfert se joue dans les apprentissages informels et la continuité du processus de formation en contexte, au quotidien.

Cette idée fait expressément référence au modèle 70/20/10, formalisé par Michael M. Lombardo et Robert W. Eichinger (1996), chercheurs à Princeton, à partir d'une étude sur les façons d'apprendre de 180 managers américains. Ils en ont déduit que 10 % de l'apprentissage se déroule lors de formations formelles (qu'elles soient effectuées en « présentiel » ou à distance), 20 % se construit grâce au fait d'échanger avec son entourage et ses collègues, et enfin, 70 %, soit la majorité de l'apprentissage, grâce à la pratique et l'expérience. Critiqué pour la faiblesse de son fondement scientifique, son approche caricaturale par les pourcentages, mais aussi parce qu'il tendrait à dévaloriser la formation classique, ce modèle reste cependant utile pour souligner l'importance des dispositifs d'accompagnement qui ont pour mission première d'ancrer la formation dispensée dans la situation de travail.

Des leviers pour favoriser le transfert des apprentissages

L'entreprise, par sa culture du *learning,* joue un rôle déterminant dans le transfert des apprentissages. Le contexte offert au collaborateur à son retour de formation peut être plus ou moins accompagnant et soutenant dans la mise en application.

Plusieurs recherches démontrent l'existence de facteurs ayant un impact sur le transfert des apprentissages : la motivation, le contrôle perçu, le soutien perçu, le sentiment d'efficacité personnelle du collaborateur et les situations de travail (Laroche et Haccoun, 1999). Dans le cas de Martin, par exemple, la motivation était très présente : il était convaincu de l'intérêt de cet apprentissage pour lui-même et son entreprise. En revanche, les autres facteurs de transfert étaient faibles. La formation n'avait pas visé à établir un lien entre la compétence transférée (l'usage de la *data visualisation*) et des situations professionnelles réelles permettant la mise en œuvre de la compétence : les exercices de data visualisation pendant la formation portaient sur l'analyse des données qui font le succès d'un roman. Sans cas d'usage réel où la formation aurait pu être appliquée et peu incité à en chercher, Martin ne pouvait pas développer un sentiment d'efficacité personnelle à l'égard de cet apprentissage. Etant lui-même manager, il n'était ni contrôlé, ni particulièrement soutenu dans l'usage qu'il allait faire de l'apprentissage.

Le modèle de Kirkpatrick, dans sa version la plus récente, évoque quatre verbes d'action qui représentent autant de leviers pour assurer le transfert des apprentissages : contrôler, encourager, récompenser, renforcer. Dans la pratique, il incombera très souvent au manager d'équipe d'apporter ce soutien au transfert sous plusieurs formes (Autissier *et al.* 2018) :

- Expliciter l'attente que la formation soit appliquée et donner la possibilité de la mettre en application, en créant si besoin des situations et des cas d'usage *ad hoc*.
- Proposer son appui en cas de difficultés de mise en œuvre.
- Reconnaître et valoriser l'amélioration de la performance du/des collaborateurs suite à la mise en œuvre de la formation.
- Suivre la pérennisation des nouveaux réflexes acquis.
- Être lui-même exemplaire sur l'usage qu'il fait de la nouvelle compétence.

Outre le manager, d'autres dispositifs peuvent être mobilisés, notamment par les services RH ou formation :

- Le tutorat par des pairs déjà formés et communautés de pairs permettant de partager des trucs et astuces, d'échanger autour des difficultés rencontrées, à travers des espaces de discussion dédiés. Ces communautés peuvent aussi permettre au passage de décloisonner les fonctions et les métiers qui constatent avoir des problèmes en commun.
- Le mentorat qui met en œuvre une relation interpersonnelle de soutien, d'échange et d'apprentissage avec une figure investie d'expertise et de recul sur le sujet. Le *reverse mentoring,* où le rapport hiérarchique est inversé, permet aux plus jeunes d'accompagner les plus gradés – notamment dans les nouvelles technologies.

L'apprentissage par équipe dans les métiers de l'audit chez PwC

Le métier de l'audit a engagé un processus de transformation accélérée chez PwC : le cocktail intelligence artificielle + automatisation + multiplication des équipes en charge du *delivery* au sein de la firme (experts, centres de compétences ou centres de services partagés qui développent des approches standardisées sur divers cycles d'audit) change fondamentalement le travail de l'auditeur.

Hier, la carrière et le métier de l'auditeur étaient rythmés par un apprentissage sur le job à partir de tâches d'analyse des écritures, de vérification et réconciliation de pièces, permettant progressivement au jeune embauché de monter en compétence avant de superviser à son tour des missions d'audit et les équipes en charge de leur réalisation ; demain, l'apprentissage passera par la compréhension et la capacité d'analyse critique des activités d'un algorithme traitant lui-même les comptes, la synthèse et l'appropriation des travaux réalisés de manière standardisée par des équipes délocalisées, et par une mise en valeur de ces travaux et analyses vis-à-vis de l'entreprise auditée (le client).

Afin d'accompagner cette transformation, PwC a engagé un ambitieux programme de montée en compétences de tous ses collaborateurs d'audit autour du *data analytics*, avec un mot d'ordre : permettre à chaque équipe d'en faire une aventure collective, avec un apprentissage accéléré au plus proche de la réalité du terrain, et une mise en pratique immédiate.

Pour permettre l'engagement de tous les collaborateurs de l'audit dans le cadre de ces formations, celles-ci ont été construites autour de trois piliers.

Premier pilier : chaque équipe « client », tous grades confondus, suit une journée de formation.

L'équipe client sur une mission d'audit, ce sont des collaborateurs juniors, des encadrants et un associé signataire des comptes, qui travaillent habituellement au cours de l'année (et parfois depuis des années) à la réalisation de l'audit d'un même client. Le parti pris est donc de délivrer la même formation à des collaborateurs ayant l'habitude de travailler ensemble sur une mission donnée, tous grades confondus, dans les mêmes conditions d'apprentissage.

Grâce à des exercices et des exemples tirés du quotidien des équipes d'audit, l'objectif est de permettre dès la formation une transposition à la réalisation de la mission d'audit. Dès lors, la présence de l'équipe au complet prend tout son sens : l'associé dans un rôle de concepteur et d'aiguillon pour pousser à adopter les outils et imaginer de nouvelles approches (susceptibles notamment d'être présentées au client), et les collaborateurs plus juniors en charge de la déclinaison opérationnelle de cette stratégie, au cœur des tâches les plus récurrentes de la mission d'audit… mais ces jeunes souvent plus technophiles que les anciens prennent aussi le rôle de « mentor » dans une logique de « *reverse mentoring* ».

Deuxième pilier : l'implication du métier dans la conception et l'animation des formations.

Chaque formation est préparée avec une grande précision, dans l'état de l'art de l'ingénierie pédagogique, et construite autour de cas pratiques métiers, identifiés par les animateurs eux-mêmes qui ont participé à l'élaboration du contenu, avec l'aide des équipes spécialisées dans le *data analytics*.

Rythmées et précisément cadencées, les formations alternent en permanence présentation théorique des outils et de leurs fonctionnalités, mises en situations concrètes réelles rencontrées auprès de clients existants, et prise en main par les collaborateurs, qui sont amenés, tout au long de la journée, à imaginer à leur tour des solutions pratiques d'utilisation des outils au service de la réalisation de tâches d'audit.

Délivrées simultanément à de très nombreuses équipes (1 500 personnes en 2 mois), dans divers bureaux de PwC en France, ces formations ont été rédigées sous forme de scripts très détaillés, permettant à chaque animateur de faire vivre aux collaborateurs une même expérience de formation.

Tous les animateurs de ces formations ont en amont bénéficié de sessions « *train the trainer* », incluant de la formation aux techniques d'animation, des mises en situation et des entraînements autour des scripts, afin de permettre à chacun de se sentir à son tour « *empowered* » pour devenir formateur.

Si ce parti pris représente un investissement lourd en temps et en énergie, le fait de faire délivrer les formations par des collaborateurs métier a certainement constitué l'une des clés du succès de la démarche, en permettant une « reconnaissance » immédiate des enjeux par les auditeurs et une démystification de la difficulté perçue du *data analytics* : démonstration était au contraire faite d'emblée de la capacité de tous les auditeurs à s'approprier les outils et les utiliser.

Troisième pilier : la gamification placée au centre de l'animation et du suivi des formations.

La journée de formation suit une logique de gamification (un buzzer par table, on ne peut buzzer que quand tous les participants de la table – même l'associé – ont fini l'exercice...), ce qui favorise la logique d'entraide et de fonctionnement solidaire, en cordée.

À la fin de la journée, un challenge en constitue le point d'orgue : sous l'arbitrage d'un jury externe mobilisé pour l'occasion, chaque équipe présente son cas d'application comme elle le présenterait à son client, en utilisant bien sûr les outils de data visualisation abordés au cours de la journée... La récompense peut prêter à sourire – une gourde « brandée » PwC – mais les équipes se prêtent vraiment au jeu.

La démarche d'apprentissage en équipe ne s'arrête pas là : deux mois plus tard, les équipes se retrouvent devant un jury pour expliquer comment elles ont mis en pratique, auprès de clients actifs, les enseignements de la journée, et comment elles ont « gagné en impact grâce à la donnée ». C'est ici encore le format du challenge qui est retenu : 50 équipes jouent le jeu, soit plus de 300 participants... Cette forte participation témoigne du fait que les équipes ont vu l'intérêt de cette formation en termes de valeur ajoutée pour leurs clients et pour l'exercice de leur métier.

Formation sur le tas et « apprentissage en situation de travail »

Beaucoup de collaborateurs ne sont pas enclins à participer à des stages de formation, perçus comme éloignés de leurs pratiques et de leurs attentes, trop théoriques, difficilement transférables. Parallèlement, une idée fréquemment partagée est que les apprentissages essentiels se font sur le tas, en dehors des lieux formels de formation. C'est en résolvant un problème ou en entreprenant une action que des apprentissages se réalisent. Apprendre en situation de travail représente alors une alternative crédible à la formation formelle.

Néanmoins, il est important de bien distinguer la formation « sur le tas » via l'imitation, l'expérimentation ou l'action, et l'apprentissage en situation de travail (AST) via, par exemple, le tutorat ou le compagnonnage qui, lui, est un dispositif de formation reconnu. Apprendre en situation de travail, ce n'est évidemment pas seulement « faire » un travail, mais installer une démarche réflexive permettant de rendre apprenante une situation de travail. Il s'agira notamment d'expliciter les choix, les raisonnements, les buts, les savoirs, les critères, les valeurs mais aussi les postures qui ont prévalu dans l'agir, pour faire de la situation de travail une opportunité de transformer une expérience en compétence. L'AST nécessite donc des dispositifs pédagogiques particuliers, souvent plus complexes qu'on ne l'imagine au premier abord.

La FEST ou Formation En Situation de Travail (devenu AFEST – Action de Formation en Situation Professionnelle) a été reconnue par la loi « Choisir son avenir professionnel » du 5 septembre 2018 ; elle est donc entrée dans le Code du travail et peut faire l'objet d'une certification professionnelle au bout du parcours.

Et maintenant, ACTION !

Managers

- Quel que soit le mode d'apprentissage (coaching par un collègue, e-learning, « plongée dans le bain » avec un nouvel outil), mettre noir sur blanc avec son équipe ce qu'on veut changer et comment on en évaluera l'efficacité.
- Pousser le *test-and-learn* dans son équipe : une nouvelle pratique testée toutes les semaines / tous les mois, avec temps d'évaluation et décision explicite de « *stop or go* ».
- Pas de formation pour soi-même ou pour ses collaborateurs sans occasion et engagement de mettre en pratique immédiatement les enseignements.

DRH

- Dans l'ingénierie de formation, porter une attention particulière à l'intégration de cas d'application directement liés au métier, ainsi qu'au suivi de la mise en œuvre.
- Mettre en place tutorat, mentoring, communautés de pairs pour aider à l'ancrage de l'évolution des pratiques de travail.
- Pousser les pratiques de *gaming*, de challenge, pour donner du rythme et de la participation.

Comex

- Exprimer une exigence absolue sur la mise en œuvre immédiate des enseignements, formations ou autres apprentissages demandés par l'entreprise : pas d'action sans mise en œuvre immédiate.

Règle d'or n° 4

Des rituels qui protègent, organisent et libèrent

Les rituels représentent un point de départ essentiel pour mettre en place de nouvelles modalités de travail fondées sur l'échange et la confiance : entre un manager et son équipe, entre coéquipiers ou dans le cadre de relations inter-équipes ou transversales. Ces rituels constituent le substrat de relations « agissantes », le socle à partir duquel tout le reste peut se bâtir.

Nous l'avons vu au chapitre 3, la sécurité psychologique au sein de l'organisation est un préalable nécessaire à la dynamique d'apprentissage, et le propre d'une culture d'entreprise visant l'*upskilling* (Edmondson, 2019). Dans un contexte où la pression est forte sur les salariés et les attentes nombreuses, il ne s'agit pas de se montrer moins exigeant, mais de poser les conditions de l'exigence. Pour viser la performance et la progression, le cadre d'action collective doit permettre l'expression libre des individus, des idées nouvelles ou des contradictions, la formulation d'objections ou d'inquiétudes, sans crainte d'être mal vu ou sanctionné par la suite.

L'importance de la sécurité psychologique a été documentée par Google, comme le montre le résultat de cette étude sur la performance des équipes, qui a été une surprise pour l'entreprise elle-même.

Comment Google a mis au jour l'importance de la sécurité psychologique

En 2012, Google lance le projet Aristote pour analyser 180 équipes internes selon plus de 250 attributs, afin de comprendre « *ce qui constitue l'équipe parfaite* ». Voici ce que ces données ont révélé.

Les tentatives pour corréler la performance des équipes (nombre de lignes de code écrites et validées, nombre du bugs corrigés, satisfaction client mesurée par les enquêtes, nouveaux produits, chiffre d'affaires réalisé, mais aussi évaluations 360° des managers et des équipiers) avec des variables relevant de la compétence technique des managers, des niveaux de diplôme, hobbies, expérience ou ancienneté des individus, n'ont pas produit de résultats probants.

En revanche, des facteurs explicatifs de la performance collective ont été trouvés du côté des modes de fonctionnement des équipes. En premier lieu, la capacité égalitaire de chacun des membres de l'équipe à s'exprimer. Deuxièmement, leur aptitude à percevoir comment leurs collègues se sentent, notamment en décryptant leur langage non verbal (ou capacité empathique). Google a également fait apparaître que le manager est la variable la plus explicative de l'existence (ou non) de cette sécurité relationnelle. La sécurité relationnelle n'exclut en rien la compétition, la recherche de performance ou le conflit, mais elle préconise la mise en place d'un cadre sécurisé pour mieux les traiter.

Ces résultats ont permis à Google de nourrir le contenu des modules de formation destinés aux managers, les profils de recrutement, les axes des entretiens d'évaluation des managers et un programme de coaching.

Source : D'après Martin Richer, « Managers, construisez votre dream team : l'expérience de Google », *Management&RSE*, 25 février 2020.

Quelles sont ces « règles du jeu » et ces pratiques qui permettent l'activation de la zone de sécurité, d'apprentissage et de performance ? Une des difficultés majeures des organisations est de parvenir à stabiliser des modes de fonctionnement dans des contextes où « flexibilité et adaptabilité » doivent devenir le mantra des individus et des équipes.

« Mais laissez-les parler sans les interrompre »

Le premier des cadres consiste à établir des temps et des lieux pour que la parole circule.

Pour apprendre, il faut en effet dialoguer et se placer dans une posture d'enquête. Cet art de l'enquête, qui est également au fondement de la vision de l'apprentissage actif, engagé et situé, développé par les pragmatistes dès Dewey (Lorino, 2018), demande de développer un type de leadership reposant sur cette capacité à poser des questions, et les bonnes questions. Une « bonne » question est une question ouverte, qui encourage l'interlocuteur à développer et entrer dans les détails de la réponse – les Anglo-saxons ont cette habitude de demander, pour relancer une réponse jugée un peu succincte, « *please, would you elaborate on this* ? ». Une bonne question suppose aussi de demander à son interlocuteur comment il ressent les choses, comment il vit son engagement dans tel projet ou ressent son implication dans telle équipe. Une telle forme de leadership, que l'on pourrait qualifier de « dialectique », impose également de l'humilité : on ne comprend pas nécessairement tout d'emblée, et il est bon de le faire savoir. L'exercice de l'interrogation dialectique impose de poser des questions pour vérifier la bonne compréhension des réponses données par son interlocuteur, lui faire préciser et reformuler ce qui pourrait rester clair-obscur.

Ces exercices sont difficiles pour beaucoup de managers habitués à se poser en prescripteurs, en points de référence détenant une autorité – à la fois hiérarchique et en termes de connaissances et capacité de décision – mais c'est pourtant d'eux que dépend la capacité de l'organisation à ouvrir l'horizon des collaborateurs, à explorer différents univers des possibles, donc… à innover.

Donner un espace à la circulation de la parole est une condition nécessaire mais non suffisante à l'apprentissage. Pour qu'elle produise des effets, il faut aussi que la prise de parole soit organisée en fonction de l'objectif recherché. L'ensemble des règles qui définissent précisément les temps, les lieux et la façon dont le dialogue s'exerce, c'est ce que nous appelons les « rituels ».

Professionnaliser les rituels dans les équipes

Les rituels sont plus que des habitudes ou des routines (Picard, 2002). Ce sont des pratiques partagées, régulières et réglées, qui ont acquis un caractère symbolique, parfois sacré. Le rituel n'est pas nécessairement religieux[1], ni humain. Les éthologues ont mis en avant des comportements innés chez certaines espèces qui se manifestent par des rituels. En 1914, le biologiste britannique Julian Huxley a décrit le rituel de séduction du grèbe huppé, un oiseau aquatique. Il a montré que la parade nuptiale du grèbe correspondait à un comportement codifié, dont la charge émotive était canalisée dans un rituel pour satisfaire aux besoins de sociabilité et de reproduction de l'espèce. Peu avant, Durkheim donnait naissance aux études sociologiques des rites en publiant *Les formes élémentaires de la vie religieuse* (1912). L'étude des rituels dans les sociétés humaines met en évidence leur utilité pour les groupes sociaux dont ils contribuent à réguler les relations et à renforcer la cohérence interne.

1. L'étymologie du mot « rituel » nous renvoie au latin *ritus,* qui peut signifer « rite, cérémonie religieuse » mais aussi « usage, coutume ». Ainsi, le sens séculier coexiste avec le sens religieux depuis l'époque romaine. On trouve chez Cicéron des expressions telles que « *pecudum ritu* » ou « *latronum ritu* » qui signifient respectivement « à la manière des bêtes » et « comme des brigands » (Dictionnaire Français-Latin Gaffiot, entrée *Ritus,-us*).

Ainsi, un rituel consiste-t-il essentiellement en une conduite codifiée, qui se compose d'un ensemble de comportements quasi immuables. Les fonctions d'un rituel sont de plusieurs ordres. La codification intériorisée (à l'instar d'une routine) favorise la communication et le contact interpersonnel, tandis que la charge symbolique est souvent associée à la régulation d'une pulsion ou d'émotions. Le rituel peut avoir une vertu cathartique, en ce qu'il peut être un moyen de canaliser l'énergie et l'agressivité en la concentrant sur un objectif précis (le rituel du « cri de guerre » avant un match dans une compétition sportive). Il permet également de sublimer des situations douloureuses ou susceptibles de provoquer le dégoût ou l'effroi (rituels d'embaumement et autres rites funéraires). L'enchaînement fixe et prévisible des comportements dans le rituel lui enlève toute ambiguïté : la symbolique du rituel est facilement décodée car immédiatement perceptible par les initiés.

Le rituel a donc un puissant effet intégrateur. Il donne des repères dans l'espace et le temps et permet de renforcer le sentiment d'intégration, de stimuler la coopération au sein d'un groupe en érigeant des frontières symboliques avec les « Autres ». Si le rituel a tendance à être dévalorisé dans nos sociétés (du fait de son aspect contraignant, formel ou suranné), il est cependant au cœur des préconisations d'éducation des jeunes enfants et considéré comme « contenant spatio-temporel de tous les apprentissages » qui assure un « cadre sécure et prédictible » (Dupin, 2009).

Dans des cadres de travail de plus en plus déstructurés, il apparaît donc essentiel de parvenir à recréer des rituels au sein de l'équipe, comme soutien au développement de compétences. Le rituel sécurise parce qu'il est prévu, et ne prend pas les équipiers par surprise.

Les rituels peuvent varier selon les entreprises et doivent correspondre à leur culture. Cependant, il est nécessaire qu'ils soient divers et variés pour répondre à des objectifs distincts. On peut distinguer les rituels *collectifs*, *individuels* et *personnels*. Parmi ceux que l'on retrouve le plus souvent à travers tous les secteurs d'activité :

- *Le rassemblement* ou *briefing du matin*: c'est une tradition ancienne dans les organisations utilisant les méthodes *lean*. Pendant dix minutes, tous les matins, l'équipe se réunit devant l'outil de management visuel (tableau blanc ou écran digital). Cette réunion permet de partager une information rapide, concrète et fondée sur des éléments objectifs au quotidien, et de faire remonter les problèmes rencontrés.
- *Le coaching du collaborateur par son manager* (voir aussi Règle n° 5) : c'est le temps privilégié de la rencontre individuelle. Il peut avoir lieu jusqu'à une fois par mois. S'y expriment librement des difficultés individuelles, parfois aussi simples que : « j'ai du mal avec le nouveau logiciel » ou « je n'y arrive pas ». La posture de soutien du manager s'exprime par « comment puis-je t'aider ? », renforce l'impact de cet échange, et fait émerger des solutions que le collaborateur adoptera d'autant plus facilement qu'il aura contribué à les identifier.
- *Les réunions ou ateliers de résolution de problèmes*: bien connues des organisations *lean* adeptes de l'amélioration continue, ces réunions doivent permettre de résoudre les problèmes qui ont été identifiés lors des briefs matinaux ou des réunions d'équipe. Elles durent de 60 à 90 minutes, peuvent impliquer plusieurs services si la résolution du problème le nécessite, et être répétées plusieurs fois si le problème est complexe. Une fois une solution trouvée, elle doit être expérimentée rapidement. Si elle ne fonctionne pas, un nouveau cycle de résolution de problème commence.
- *Le rituel personnel du manager*: il permet de faire le bilan de la semaine écoulée et de préparer la semaine suivante. Le manager parcourt ses objectifs initiaux et ceux de l'équipe fixés en début de semaine et les raisons qui expliquent les résultats obtenus : focalisation sur les priorités, engagement de l'équipe, cohérence entre les décisions prises et les actions menées. Peu nombreux

sont les managers qui parviennent à s'astreindre à ce rituel très utile, permettant de prendre en permanence du recul, tout en se projetant efficacement dans le temps court.

- *La célébration des «petites victoires»* par un moment festif. Pas besoin d'attendre le grand soir pour célébrer un résultat qui marque le collectif. Toute réussite peut être source d'un moment de reconnaissance et de joie à partager – ne serait-ce que d'avoir réussi à faire tout ce qui était prévu dans la liste des priorités, d'avoir reçu les remerciements d'un client ou d'un autre service dans l'entreprise. Les rituels de cohésion, comme la galette des rois de l'équipe, le beaujolais nouveau ou l'arrivée du printemps, la fête des voisins avec l'équipe d'à côté, les pots d'arrivée et de départ, l'arrivée des bébés : autant de moments qui cimentent le collectif !
- *La visite du grand chef* : dans les périodes de transformation ou lors de projets importants, la visite du grand chef peut être un «rituel», jouant le rôle d'utile «corde de rappel» sur l'importance que l'entreprise accorde aux rituels. Le simple fait qu'un membre de la direction, habituellement éloigné physiquement et professionnellement des équipes, vienne sur le terrain et s'intéresse sincèrement au quotidien pour voir comment il peut contribuer à l'améliorer, est une puissante marque de reconnaissance qui entretient la motivation.

Dans les équipes agiles de développement de logiciels ou de projets qui travaillent en «*sprints*», les rituels existent depuis longtemps : ils portent le nom de «cérémonies» qui rythment la vie du projet. On met en place des temps collectifs à règles du jeu bien définies permettant aux équipiers d'échanger de manière efficace et organisée sur l'avancement du projet. Les «*stand-up meetings*», par exemple, assurent la prise de parole rapide de chaque équipier pour tirer les enseignements des avancées, les mettre en perspective et apprendre de ses erreurs. C'est la vitesse qui est ici privilégiée.

De manière générale, les rituels supportent mal l'amateurisme, la paresse et l'irrégularité. S'ils entretiennent quelque parenté avec le « sacré », c'est surtout dans l'idée de « sanctuarisation » de ces temps dans les agendas, et en particulier dans celui des managers.

Grande distribution : mise en place de rituels dans le cadre d'un projet d'excellence opérationnelle

Une enseigne de la grande distribution décide d'améliorer son excellence opérationnelle par la transformation des méthodes de travail dans ses hypermarchés. À cet effet, elle souhaite partir des idées d'amélioration construites puis déployées par les collaborateurs. Parallèlement à une nouvelle organisation, elle met donc en place une communication interne en cascade. En plus des *briefs* quotidiens opérationnels et des *briefs* hebdomadaires d'organisation pour l'encadrement, ont été mis en place un « comité transformation » par magasin, et un « comité collaborateurs » toutes les trois semaines pour l'écoute du climat social. Enfin, des entretiens mensuels de développement pour les managers d'équipe sont instaurés ainsi que des ateliers participatifs de résolution de problèmes (en continu).

Cette cascade d'espaces de parole a permis de mieux descendre et remonter l'information et les idées des collaborateurs à travers tout le magasin. Les réactions des personnes concernées montrent l'efficacité de ces rituels et le niveau de satisfaction qu'ils suscitent : « *Maintenant, je fais des briefs, j'ai l'impression d'être monté en grade* » (responsable de vente Boulangerie) ; « *Au début, c'était une contrainte et maintenant on ne peut plus s'en passer* » (manager d'équipe) ; « *L'information circule mieux, c'est plus intéressant et plus fiable que les bruits de couloir* » (animateur Drive). Les comités des collaborateurs ont également permis de faire remonter d'autres impressions positives : « *Je me sens écouté* » (animateur d'équipe) ; « *J'ai plus de proximité avec mon chef et avec mes collègues des autres rayons* » (animateur d'équipe) ; « *Il y a plus de solidarité et d'entraide entre nous* » (employé commercial et relation client).

Vos rituels favorisent-ils l'apprentissage et l'innovation ?

Il ne suffit pas d'instaurer des rituels, encore faut-il qu'ils favorisent les apprentissages et qu'ils « libèrent ». Le rituel donne des repères, permet l'appropriation de la culture et des pratiques, mais il n'est pas en soi porteur d'évolution. Certaines entreprises s'attachent à des rituels porteurs de conservatisme, très éloignés des principes de la *learning company.* Quand les rituels s'inscrivent dans des cultures accordant un grand respect à l'âge ou à la hiérarchie, ils sont souvent peu « apprenants ».

Quelles sont alors les conditions pour que les rituels parviennent à favoriser l'apprentissage ?

1. *La posture du manager* : nous l'avons vu, celui-ci doit adopter une posture d'écoute active et bienveillante, de questionnement et de reformulation.

2. *La distribution équitable de la parole* : ce n'est pas parce que la parole est sollicitée que tous se sentiront à l'aise ou auront envie de parler. Il faut donc encourager et inciter les timides ou les réticents à participer. L'une des façons de le faire, par exemple, est de distribuer l'animation des points matinaux aux équipiers sur une base tournante et volontaire. Mais aussi d'accueillir avec patience une parole encore confuse et tâtonnante, et de féliciter chaleureusement le participant, même si les débuts sont laborieux.

3. *La liberté de parole* : il faut que soit bien établie l'idée que chacun a le droit et le devoir de dire les choses, d'exprimer idées et critiques, sans risque d'être moqué ou sanctionné, *mais toujours dans le respect d'autrui* et en proscrivant toute attaque personnelle. Le cadre de la liberté de parole fait aussi partie des règles du jeu. C'est sans conteste l'un des points les plus délicats à acquérir et pérenniser.

4. *Les règles du jeu*: la fréquence des réunions, le temps imparti, les manières d'intervenir, les supports, etc. doivent être connus et pouvoir être anticipés par les collaborateurs, sans quoi il ne s'agirait pas d'un rituel.

Un manager prenant en charge la responsabilité d'une nouvelle équipe devrait donc se poser les questions suivantes: quels sont les rituels qui existent dans cette équipe? *Et* ceux-ci favorisent-ils l'apprentissage?

Quand le droit à l'erreur devient droit à l'essai

Nous avons vu qu'un rituel efficace consacre la liberté de parole grâce à des règles du jeu connues de tous et à la construction d'un environnement bienveillant. Pour autant, les collaborateurs seront-ils incités à parler librement de leurs faiblesses ou de leurs erreurs? Il est, de façon générale, difficile d'apprendre en cachant erreurs et faiblesses.

C'est pourquoi les entreprises parlent beaucoup aujourd'hui de «*droit à l'erreur*», afin d'encourager une parole plus sincère et décomplexée. Néanmoins, dès qu'on passe de la parole aux actes, le concept devient assez flou.

L'expression «droit à l'erreur» peut faire référence à un principe général indiquant que l'entreprise ne sanctionnera pas un collaborateur et fera preuve d'une certaine tolérance, s'il commet une erreur ou s'il n'atteint pas du premier coup les objectifs qui lui ont été assignés. Tout au contraire, elle lui fournira un soutien pour s'améliorer. Fort bien! Il s'agit là plutôt du *droit de progresser* que du droit de se tromper.

Dans la pratique, il est bien rare qu'une entreprise consacre, de façon générale et abstraite, un droit à l'erreur pour celui qui ne suit pas les procédures ou n'atteint pas ses objectifs de façon répétée. Le droit à l'erreur est souvent *une promesse mal comprise par les collaborateurs qu'il convient d'expliciter*.

En réalité, ce que les entreprises souhaitent promouvoir par ce terme ambigu, c'est une incitation pour chaque collaborateur et pour chaque équipe à prendre des initiatives. Et pour qu'il y ait initiative, il faut corollairement que les individus sachent qu'ils ne seront pas sanctionnés au cas où l'initiative ne produirait pas les effets escomptés, voire se révélerait contre-productive – droit à l'échec donc, plutôt que droit à l'erreur. Ce *droit à l'initiative* peut alors être entendu comme un « droit d'essayer des trucs » et d'apprendre de cette tentative. Pour autant, la promotion du droit à l'initiative ne signifie pas que chacun peut essayer n'importe quoi, de façon anarchique et sans aucun contrôle. Pour avoir largement promu un droit à l'initiative, une ETI s'est retrouvée à payer sa facture de téléphonie 30 % plus cher, du fait que la responsable s'était laissée convaincre par un opérateur de transférer le contrat pour l'ensemble de l'entreprise sans consulter personne. Certains essais/erreurs peuvent coûter cher. Le mérite de ladite entreprise est de ne pas avoir sanctionné cette collaboratrice pour éviter de porter atteinte à la promotion de l'esprit d'initiative qui avait cours dans l'entreprise. Mais elle a appris la leçon et fixe désormais un cadre au droit à l'initiative (Weil et Dubey, 2020).

En resserrant encore le sens, « droit à l'erreur » signifie le plus souvent pour l'entreprise promouvoir *un état d'esprit d'expérimentation* au sein des équipes ou droit à l'essai.

« Routiniser » le *Test&Learn*

L'idée d'expérimenter de nouvelles idées, produits ou services s'est répandue dans les entreprises sous le nom de *Test&Learn (T&L)*. Dérivée de la façon dont les équipes agiles de développement de logiciels conduisaient les projets, elle promeut l'idée d'une action *rapide* plutôt que *parfaite*, en confrontant un nouveau produit ou service à la critique, au « bug », aux réactions des utilisateurs et en l'améliorant « en marchant ». Il s'agit d'une philosophie de l'innovation sous contrainte de vitesse et d'incertitude.

Pour promouvoir cet état d'esprit d'expérimentation (et de vitesse) favorable aux innovations, il est indispensable de poser le cadre et les règles dans lesquels les expérimentations pourront être conduites et qui permettront progressivement à l'expérimentation de devenir un réflexe commun, *une routine*. Le T&L n'a rien à voir avec un vaste chaos créatif visant à couvrir n'importe quelle improvisation mal fichue, comme on l'entend dire trop souvent.

Le T&L est basé sur la méthode expérimentale. « Routiniser » le T&L consiste donc à répandre au sein des équipes le réflexe de tester rapidement les nouvelles idées *selon un protocole rigoureux défini à l'avance*, puis de mesurer précisément les résultats obtenus, et de corriger l'idée initiale à la lumière des résultats. L'idée à tester est généralement liée à une création de valeur espérée pour un client ou un utilisateur final. Ce n'est pas grave si le résultat escompté n'a pas été atteint – c'est là qu'on retrouve l'idée de droit à l'erreur –, le processus d'expérimentation en lui-même, s'il a été suivi avec rigueur, permet à l'entreprise d'apprendre de la solution ou du process ainsi testé pour l'améliorer.

Une fois l'expérimentation conduite, il faudra encore tirer un bilan de son succès comme de son échec, la documenter afin de la constituer, le cas échéant, en bonne pratique à suivre, et la diffuser pour que l'ensemble de l'organisation puisse en tirer bénéfice et devenir apprenante. Comme le dit avec humour, Adilson Borges, directeur Learning & Development chez Carrefour et professeur de marketing, « *dans les entreprises, il y a beaucoup de test et pas beaucoup de learn*[1] ».

1. Conversation avec les auteurs.

Et maintenant, ACTION !

Managers

- Dans les routines managériales, faire vivre des espaces de paroles individuels et collectifs permettant le retour d'expérience et l'apprentissage.
- Apprendre à questionner par l'écoute active et assumer les moments où le manager écoute et ne donne pas les réponses.
- Passer du « droit à l'erreur » au « droit à l'essai » et expliciter la différence à l'équipe.
- Apporter à chaque collaborateur les marqueurs de la sécurité relationnelle (cadre, soutien, confiance, empathie, objectifs clairs).

DRH

- Au sein de la DRH aussi, construire les rituels permettant le retour d'expérience et l'apprentissage.
- Porter à la connaissance des managers les différents modes de travail agiles pour les inciter à construire les rituels correspondants.
- Organiser des journées d'immersion pour les managers au sein d'entreprises connues pour la maturité de leurs rituels.
- Intégrer dans l'évaluation du management des critères relatifs aux modes de management et d'apprentissage des équipes.

Comex

- Faire de son Comex un modèle exemplaire de rituels qui protègent, organisent et libèrent, et le faire savoir…

Règle d'or n° 5

Toi, moi, nous, tous coachs et coachés

« *J'ai reçu 130 e-mails aujourd'hui… Je ne demande qu'à passer plus de temps avec mon équipe, mais entre les urgences chroniques, les réunions de reporting et les sollicitations continues via mon portable ou ma boîte mails, comment voulez-vous que je fasse ?* » C'est la complainte du manager ! Elle pourrait figurer au nouveau dictionnaire des idées reçues inspiré de Flaubert : Temps (manque de), s'en plaindre toujours. À leur décharge, 89 % du temps des managers est consacré à des activités qui ne sont pas directement liées au pilotage de la performance et au développement de leur équipe.

En outre, les managers sont confrontés depuis quelques années à un décloisonnement de la relation entre l'économique et la finalité humaine de leur action. Depuis la loi PACTE de 2019, le principe en est même inscrit dans la loi. Le rapport[1] qui l'a inspirée précise que « chaque entreprise a une raison d'être non réductible au profit ». Pour Bruno Le Maire, ministre de l'Économie et des Finances, « *la raison*

1. Rapport Notat-Sénard du 9 mars 2018 remis aux ministres de la Transition écologique et solidaire, de la Justice, de l'Économie et des Finances, du Travail : « L'entreprise, objet d'intérêt collectif », p. 4.

d'être, c'est le sens que les entreprises donneront à leurs activités économiques[1] ».

Recherche de sens, révision des priorités, injonctions contradictoires, génération des milléniaux qui viennent percuter les repères établis, voilà autant de raisons de recourir au coaching pour guider les âmes perdues des managers !

La place du coaching en entreprise pose cependant de nombreuses questions. Comment s'y retrouver dans ce mot-valise, et de quel coaching parle-t-on exactement ? Le coaching, conçu initialement comme une relation bilatérale, peut-il contribuer à une dynamique d'apprentissage collectif ? A-t-on besoin de coachs professionnels dûment labellisés ou chacun peut-il jouer ce rôle au sein d'une organisation ?

Le coaching, au-delà de l'effet de mode

Le terme coaching est déjà ambigu dans sa traduction française[2]. Selon Belkacem Ammiar (2019), consultant-coach et superviseur, associé et fondateur du cabinet Koan Coaching :

> « Le coaching est l'accompagnement d'une personne, d'une équipe ou d'une organisation dans le but de construire, développer ou renforcer leurs compétences, savoir-faire, savoir-être, comportements et attitudes. C'est un accompagnement qui s'inscrit toujours dans un souci de l'écologie des personnes et des systèmes et qui promeut, dans le respect de l'autonomie des acteurs, un développement durable, systémique et global. »

1. Bruno Le Maire : « Le capitalisme du XXe siècle n'est plus viable », *La Croix*, 5 septembre 2019.
2. « La Commission générale de terminologie et de néologie recommande d'utiliser les termes d'usage courant déjà implantés dans le domaine du vocabulaire considéré, ou bien si le domaine est général, les termes accompagnement et accompagner, et, dans les cas où le domaine est plus précis, les termes mentor et mentorat. » – Recommandation sur les équivalents français du mot coach, JORF n° 169 du 22 juillet 2005 page 12000, texte n° 106.

Cet accompagnement s'appuie sur la relation entre un coach et un coaché, conçue comme la construction d'une *alliance* reposant sur la confiance entre les deux acteurs, ainsi que sur le respect de l'autonomie de la personne coachée. Cette mise en autonomie est essentielle pour que le coaché trouve lui-même les solutions qui lui permettront d'atteindre les objectifs visés. Le coach posera les bonnes questions, le coaché trouvera ses réponses. La puissance du coaching est en effet liée à la *position basse* du coach sur le contenu mais à sa *position haute* sur le processus de changement. Il reste maître du cadre. À la différence du mentor, qui a souvent une posture d'autorité à l'égard du *mentoré*, le coach professionnel est aux côtés de la personne accompagnée, voire de son équipe, dans une position d'égalité et de partenariat. Son rôle n'est en aucun cas de « formater » ou de conseiller des individus, mais de contribuer au développement professionnel de personnes engagées volontairement dans cette démarche.

Nous observons que les entreprises qui réussissent à apprendre vite et à grande échelle renouvellent les pratiques de coaching et en multiplient les formes : coaching d'organisation (voir ci-dessous), formules de coaching individuel de managers impliquant l'équipe autour d'un système de management de la performance très inclusif, mentoring inversé et co-développement[1]. L'état d'esprit du coaching – de l'écoute active à la prise de recul sur les faits – transforme le mode de management, la confiance collective et par là même la rapidité d'apprentissage. C'est un point de bascule, car la majorité des managers sont en poste pour leurs qualités techniques qui renforcent leur légitimité. Quasiment tous ont suivi des formations de management, de leadership, de gestion de situations difficiles, voire ont eu droit à deux fois une

1. Le co-développement est une approche d'apprentissage actif fondé sur l'expérience, visant le développement des personnes, par l'apprentissage dans l'action en petits groupes, le questionnement réflexif, l'autonomie, l'entraide dans l'apprentissage et le coaching par les pairs. Cette méthodologie a été développée au Québec par Adrien Payette, professeur à l'École Nationale d'Administration Publique située à Montréal, et Claude Champagne. https://www.aqcp.org/lorigine-du-groupe-de-codeveloppement-professionnel/

heure en tête-à-tête avec un coach pour formaliser leur chemin de vie… Mais tout ceci reste souvent théorique et insuffisant !

Le coaching est bien plus qu'un effet de mode. Cet accompagnement systématique, vu comme un système d'interconnexions entre les individus, les structures formelles et les projets, est un accélérateur notable pour améliorer la collaboration, faire émerger les talents, accompagner un changement culturel, développer de nouveaux savoir-être et savoir-faire sur un large périmètre. La mise en question de la relation au travail, au collectif, à l'entreprise, nécessite d'apprendre en situation professionnelle, quasiment au poste de travail. Le coaching d'organisation est ainsi un formidable levier pour donner un cadre porteur de sens et inciter les collaborateurs à faire évoluer leurs propres comportements.

Focus ◆ Le coaching digital

La disruption numérique s'est aussi emparée de l'activité de coaching. L'offre est multiple et, sous les slogans accrocheurs, nous observons trois tendances majeures.

- Une première tendance s'apparente à des formules de télécoaching, avec un accès à un coach expérimenté et certifié ainsi qu'à du contenu pédagogique en ligne pour continuer à se former. C'est ce que propose, par exemple, MoovOne, en « démocratisant enfin l'accès au coaching », qu'il soit individuel ou collectif. Potentialife propose aussi un programme de coaching personnel, ciblé sur le développement du leadership, destiné en grande partie aux cadres dirigeants.
- Une deuxième tendance est liée aux solutions « augmentées », qui combinent sciences cognitives, gamification, intelligence artificielle et bases de l'entraînement sportif. « Une minute par jour. Tous les jours. » : c'est ainsi que se présente le principe de la plateforme 2Spark, déployée chez les grands noms de l'énergie, de la banque ou de l'assurance.

- Nous observons enfin une troisième tendance regroupant des solutions hybrides, dont la puissance est de s'appuyer sur l'intelligence collective, le décloisonnement, la proximité à distance (!) et la mesure des résultats opérationnels. Incenteev a obtenu des résultats notables dans la grande distribution, la banque ou la vente au détail. Insideboard connaît aussi un succès remarqué. Son efficacité repose à la fois sur de l'intelligence artificielle, du contenu et du management visuel partagés aux bornes de communautés et une formule d'apprentissage ludique issue de l'univers des jeux vidéo.

L'efficacité des solutions augmentées et hybrides est renforcée lorsqu'elles sont déployées par des consultants-coachs externes. L'essentiel reste l'acquisition de nouvelles compétences et l'adoption de nouveaux comportements à grande échelle. La mesure de l'impact et des effets produits est primordiale dans les choix de coaching !

Révéler le manager coach qui dort en vous

Le coaching diffère de la formation, mais aussi du management traditionnel. C'est une posture qui devient clé pour tous les managers qui souhaitent développer leurs équipes. C'est d'ailleurs une tendance de fond chez beaucoup d'acteurs. L'Oréal, EDF, Total, Sage, Carrefour et tant d'autres, tous ont lancé leur programme de « manager coach ».

L'ambition n'est pas de transformer les managers en coachs professionnels dont le protocole d'intervention serait encadré. L'objectif est de développer les qualités de questionnement, d'écoute, d'empathie, de prise en compte des besoins individuels, d'ouverture et d'acceptation du partage. Il faut en effet apprendre à proposer une vision ou une ambition motivante pour l'équipe, à co-définir des objectifs individuels qui vont soutenir cette ambition, à renoncer à trouver une solution à tous les problèmes qui sont remontés, à prêter attention aux ressentis, émotions, motivations, à rendre explicite les processus de décision, à faire ressortir et documenter les écarts entre l'intention et les actions pour faire émerger les marges de progrès, à contrôler son propre stress pour ne pas le déverser sur son équipe, à lâcher prise… Il s'agit aussi de permettre au manager d'apprendre à formuler les problèmes et à trouver avec son équipe les moyens de les résoudre : passer de la complainte « je n'ai pas assez de gens pour atteindre mes objectifs » à la posture « comment pourrais-je mieux tirer parti de la ressource que constitue mon équipe pour atteindre mes objectifs ».

La difficulté à adopter la posture de coach peut être illustrée par l'anecdote suivante. Chez PwC, les consultants qui interviennent en coaching opérationnel chez les clients ne sont généralement pas des coachs certifiés. Ils sont souvent expérimentés, passionnés de relations humaines et disposent de méthodes analytiques robustes et éprouvées. Ils ont en outre été formés à la posture de coach et sont systématiquement supervisés. Pourtant, un jour, une consultante-coach sur une mission vient trouver son *lead coach* et lui dit : « *Mon coaché, il reçoit trop de mails, il est débordé. Tu as forcément déjà eu ce cas. Tu dois avoir des trucs qui ont marché. Peux-tu les partager avec moi, afin que j'aide mon client à résoudre son problème ?* » Le recadrage bienveillant du *lead coach* a été immédiat : le fait même de poser cette question indiquait qu'elle n'était pas en posture de coach. Le coach n'est pas là pour « filer un coup de main » ou fournir des trucs et astuces d'organisation à son client ; il ne doit avoir aucune idée préconçue sur la solution à adopter mais aider le coaché à faire émerger ses propres solutions, car si elles viennent de lui, elles seront forcément plus pertinentes et ancrées dans sa réalité.

Il est indispensable de coacher les managers pour évoluer vers une posture de manager-coach, et, si possible, de façon intense sur une période ramassée.

Le coaching de performance comme accélérateur de développement des équipes

En 1965, Bruce Tuckman a développé un modèle de développement d'équipe qui fait encore référence aujourd'hui. Selon son modèle, toutes les équipes passent par quatre étapes : la formation ou constitution (*forming*), la confrontation (*storming*), la normalisation (*norming*), la performance (*performing*).

Figure 10 – Le modèle de Tuckman

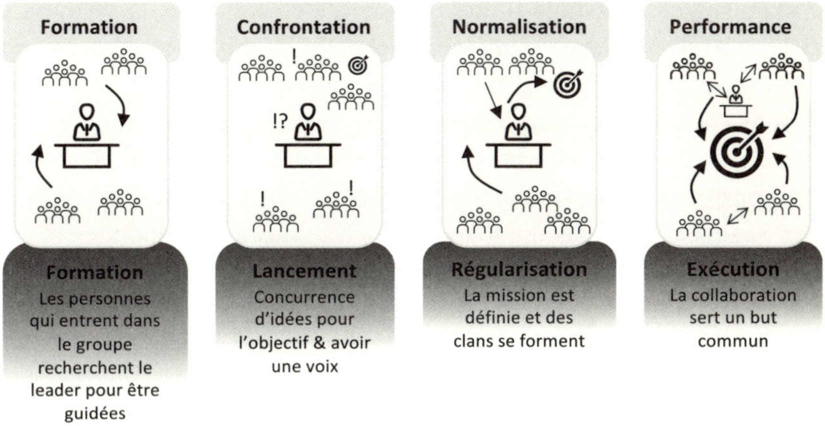

Ce modèle se présente donc comme un chemin de progrès permettant à l'équipe de passer d'un stade de maturité au suivant ; il y a une dimension systémique. Ce chemin consiste à passer d'une collection d'individus qui fonctionnent souvent sur l'expertise métier et sur des territoires à protéger à un groupe d'abord solidaire puis performant, responsable, capable d'avoir une vision partagée, de fonctionner en toute fluidité et de s'auto-organiser.

Le rôle et la posture du manager sont donc clés. Bien des entreprises mettent ainsi en œuvre des accompagnements spécifiques de coaching que l'on pourrait nommer *coaching de performance*. Quelle est la différence avec le coaching managérial ?

Le coaching managérial est centré essentiellement sur l'individu manager. Le coach aura peu d'interactions directes avec l'écosystème du coaché. Le coaching de performance va en revanche associer l'équipe dans la relation coach-coaché. Le coach est immergé dans le quotidien du manager et de ses équipes pour les aider à franchir les étapes de maturité décrites par Tuckman. C'est exactement le dispositif mis en œuvre par la société Sage (voir chapitre 1). Le coach s'appuie sur un référentiel de management constitué d'une dizaine d'éléments – de la vision à la célébration des succès – déployé de manière itérative. Il est mobilisé à temps plein sur le terrain pendant 12 semaines, soucieux de développer de nouveaux réflexes comportementaux ou compétences, tant pour le manager que pour son équipe. C'est toute la puissance d'un modèle réplicable, aux résultats mesurables (augmentation des ventes de plus de 50 % chez Sage) et aux effets durables car ancrés dans les comportements du collectif. Le coach de performance aide le manager à établir des temps structurés d'échange, à développer les compétences de ses collaborateurs et les siennes pour créer une dynamique d'apprentissage.

Le coaching de performance dans le programme Perform© en 12 semaines

Perform© est un programme de coaching de 12 semaines qui tire profit du meilleur de chaque collaborateur, indépendamment des procédures et des outils existants.

Le déploiement de chaque élément de management est intégré au quotidien des équipes. Les managers et leurs collaborateurs s'approprient semaine après semaine la démarche Perform© pour l'adapter à leurs enjeux, améliorer leur fonctionnement et ainsi leur performance opérationnelle.

La méthode améliore les modes de fonctionnement et la performance des équipes, renforce la posture des managers et crée ainsi 15 à 30 % de capacité supplémentaire.

Le déploiement de Perform© se fait grâce à un coaching quotidien par des consultants expérimentés formés et dédiés au programme. Ils accompagnent chaque jour individuellement les managers avec pour objectif de :

- développer leur posture de coach,
- installer des modes de fonctionnement plus efficaces,
- faire émerger de nouveaux comportements au sein des équipes, et les valoriser pour ancrer durablement le changement.

Coaching généralisé : ambassadeurs et agents du changement

Comment insuffler et pérenniser dans toute une organisation « l'esprit coaching » ?

Une fois les coachs de performance partis, les managers ont suffisamment progressé avec leurs équipes pour poursuivre leur développement. Mais au moindre changement au sein d'une équipe, lié aux processus, à l'organisation ou au déploiement de nouveaux outils numériques, le système peut se fragiliser.

Pour limiter ce risque, trois dispositifs peuvent être mis en œuvre simultanément.

Le premier consiste à créer *un réseau d'ambassadeurs de terrain*, si possible sans rôle hiérarchique préétabli dans l'organisation. Ils doivent pouvoir bénéficier du soutien de leur management et du temps nécessaire pour exercer ce rôle. Ce dernier consiste principalement à rappeler les fondamentaux de méthode, de posture et de résultats à atteindre. Ce sont les leaders informels, chers à tout changement culturel.

Le deuxième tient aux cordes de rappel indispensables : *les agents du changement*. Ce sont des profils en général issus de la première ligne managériale, reconnus, passionnés à la fois par le développement des équipes et par les outils méthodologiques. Ils vont contribuer à garantir le respect des principes du coaching, en diffuser les bases à travers l'organisation et animer les routines de progrès. Ils pourront en outre s'organiser en communautés pour échanger leurs difficultés et leurs pratiques, soutenir leur motivation et poursuivre leur montée en compétences par le co-développement. Pour choisir ces agents du changement, il est important de repérer quelques éléments d'un profil de coach. Sans être exhaustive, la liste ci-dessous indique quelques-unes des qualités nécessaires pour pouvoir endosser ce type de rôle.

Figure 11 – Profil du coach

Qualité	Descriptif
Capacité à donner du feed-back	Sait donner du feed-back en toute transparence, est positif et inconditionnellement constructif
Passion	Démontre une volonté sans faille d'améliorer le fonctionnement des équipes, enthousiaste et absolument engagé
Crédibilité	Capable de persuader ses interlocuteurs de la nécessité du changement et de la réussite de sa mise en place
Implication totale	Est dédié à 100 % à la mission et sait parfaitement gérer son temps, qui se fait toujours plus rare au fur et à mesure du déploiement

...

...

Capacité à influencer	Sait établir une relation de confiance avec ses interlocuteurs pour démarrer le changement et avoir un impact significatif dans l'amélioration des modes de fonctionnement
Expérience	Expérience dans la mise en place de nouveaux process et la gestion du changement, démontre une certaine maturité professionnelle
Intelligence émotionnelle	Empathique, sensible aux aspects humains, conscient des enjeux affectifs des individus
Orientation solutions	Met son énergie à faire émerger des solutions plutôt qu'à expliquer en quoi c'est un problème
Amélioration continue	Volonté de progresser continuellement, se remet en question, sait recevoir du feed-back, fait preuve de confiance en soi et d'humilité

La troisième et dernière bonne pratique est liée à la gouvernance. Lancer de tels projets d'*upskilling* à l'échelle nécessite une implication totale du top management. La gouvernance en phase projet doit influer sur la gouvernance globale en mode croisière. C'est pourquoi, dès le démarrage, l'implication de la direction générale est indispensable. La routine consacrée au pilotage, le « copil », doit être orientée vers la décision et permettre d'associer toute l'équipe. Inutile de disposer d'une présentation PowerPoint de 40 slides. Un tableau de pilotage partagé sur un espace numérique, très visuel, combinant informations quantitatives (progrès, résultats) et qualitatives (succès, comportements acquis, problèmes, risques, baromètre des équipes) est beaucoup plus efficace. S'il est bien structuré et que l'animateur est correctement préparé, 45 minutes chaque semaine suffiront amplement à prendre les bonnes décisions et à soutenir l'ensemble ! Cette routine s'insérera naturellement dans l'agenda courant en remplacement d'autres routines historiques beaucoup moins efficaces.

Focus • Avis d'expert : entretien avec Belkacem Ammiar, co-auteur de *La Boîte à outils du coaching* (2019)

Pourquoi parle-t-on de plus en plus de coaching d'organisation ?

Le monde de l'entreprise, et plus généralement l'ensemble de nos sociétés, doit vivre avec l'apparition et la diffusion rapide de nouvelles technologies (avec tout ce que cela implique de comportements nouveaux) et, depuis début 2020, sous la contrainte sanitaire du Covid-19 qui oblige à s'adapter rapidement.

Cette transition fulgurante implique, pour ceux qui la vivent comme pour ceux qui souhaitent l'accompagner, de se transformer et de transformer profondément leurs pratiques d'intervention.

Le coaching d'organisation est une réponse particulière à ces enjeux en ce qu'il n'abolit pas les autres formes d'accompagnement plus classiques comme le conseil, la formation, le mentorat mais, au contraire, les encadre, les intègre, les décloisonne et constitue une matrice qui leur donne un sens global.

Peut-on déployer du coaching d'organisation « à l'échelle » ?

Le coaching d'organisation est précisément l'approche des transformations de grandes dimensions. En effet, plus la transformation à mener est importante, plus elle nécessite un accompagnement porté par un sens partagé, seul garant de la bonne compréhension des changements à mener, de la nécessaire mobilisation et *in fine* de la réussite du projet.

Pour cela, il est nécessaire pour les cabinets de conseil d'intégrer une nouvelle posture, celle de « consultant-coach », qui va, en fonction des enjeux et des contextes, développer une approche classique centrée sur un apport d'expertise ou une démarche centrée sur l'intelligence collective du système accompagné.

Tous les managers peuvent-ils devenir manager-coach ?

Tous les mangers doivent *absolument* devenir manager-coach, car la posture de « manager-donneur d'ordre » seule ne permet plus de répondre aux enjeux de mobilisation et d'*empowerment* que la complexité du monde actuel exige.

Naturellement, en fonction des prédispositions et des appétences des managers, certains iront beaucoup plus loin dans le développement de cette posture, mais l'ignorer totalement n'est, de mon point de vue, plus possible.

Quelles recommandations avant d'activer ce levier ?

Au moins trois recommandations sont à prendre en compte avant de se lancer dans ce type de démarche.

1. Que les intervenants (les consultants-coachs) soient suffisamment formés et préparés à gérer la complexité de la relation avec le client : une polarité trop « consultant » pourrait empêcher le développement du client et le maintenir dans une position de dépendance, alors qu'une posture trop « coach-maïeuticien » pourrait le déstabiliser et l'insécuriser.
2. Accepter un business model d'intervention « co-constructiviste » qui permette d'élaborer avec le client une démarche « sur-mesure » et « pas à pas ». Cette seconde condition permet de créer réellement les conditions d'une montée en compétences du client, tout en obtenant les résultats opérationnels escomptés.
3. Avoir le souci constant des résultats opérationnels et de l'identité du client, afin de faire de chaque intervention une occasion de croissance pour celui-ci.

Et maintenant, ACTION !

Managers

- S'initier aux bases relationnelles du coaching pour mieux coacher ses propres collaborateurs : ne pas apporter des solutions, mais les aider à trouver leurs propres solutions.
- Organiser son propre coaching par des pairs sur les pratiques métiers, mais aussi sur les pratiques managériales.
- Identifier dans son équipe des ambassadeurs / coachs pour porter ces nouvelles pratiques professionnelles.

RH

- Stimuler la création d'une communauté de coachs d'organisation au sein de l'entreprise, et en accompagner la montée en compétences et l'animation.

Comex

- Accepter le coaching collectif de l'équipe dirigeante et le faire savoir.

Règle d'or n° 6

Organiser le forum et la percussion

Le consultant Jacques Chaize, spécialiste du Lean en France, raconte l'anecdote suivante[1] : en Angleterre, pendant longtemps, les bouteilles de lait étaient livrées devant les maisons sans être bouchées par des capsules. Les mésanges et les rouges-gorges, nombreux dans les jardins anglais, se délectaient de la crème qui couvrait la surface de la bouteille. Puis les bouteilles ont été fermées avec des capsules en aluminium. Un ornithologue a alors constaté que les mésanges avaient très vite appris à percer les capsules, alors que chez les rouges-gorges, seuls quelques individus de l'espèce y parvenaient. L'explication est la suivante : les rouges-gorges sont des oiseaux à tendance territoriale, ils restent sur leur territoire et se déplacent peu ; les mésanges, elles, se déplacent de jardin en jardin et souvent en groupe. Cela leur a donné un avantage considérable dans les apprentissages tant individuels que collectifs.

L'échange, le partage et la coopération – *le forum* – sont clés dans les apprentissages. Ces comportements ne sont pas innés. Il faut donc organiser des situations et des contextes (des espaces) pour favoriser

1. À voir sur Albert Académie https://www.youtube.com/watch?v=B2auD2huVio.

ces comportements et parvenir à les ancrer. Mais ces espaces ne doivent pas uniquement favoriser la *coopération*, ils doivent aussi permettre la *confrontation*. Controns ici une idée reçue : *la coopération* (œuvrer ensemble pour parvenir à une fin commune) ne doit pas évacuer *la confrontation*, le frottement, la tension, la contradiction – *la percussion*. C'est bien parce que la confrontation est possible que la voie de la coopération est ouverte, et le conflit, évité.

De manière générale, les entreprises n'aiment pas beaucoup la confrontation. La peur du désordre, de l'inefficacité, des discussions stériles, représente un frein psychologique important pour le management qui s'est construit à l'origine par analogie avec le modèle militaire de la chaîne de commandement. Dans les entreprises, on a longtemps préféré *l'unité* – on parle aujourd'hui d'alignement – ne serait-ce que de façade. Pourtant, le consensus apparent dissimule souvent des désaccords.

Pour que l'entreprise et les équipes progressent, il faut que les idées s'expriment (le forum) et qu'elles s'entrechoquent (la percussion). Plus qu'une tolérance à la discussion, il faut favoriser l'ouverture à la contradiction, au ping-pong des propositions, à la collision des idées. Organiser de nouveaux espaces de discussion, et leur donner un cadre et une finalité, nécessite d'expliciter les « zones rouges » – ce qui n'est pas soumis au débat – et les « zones bleues » – ce qui est ouvert à la discussion (Weil et Dubey, 2020).

Discussion et débat font grandir les salariés comme l'entreprise, à la fois en tant que méthode (apprendre à débattre), en tant que source d'idées nouvelles (la collision des idées en produit d'autres) et en tant que manière de prendre des décisions (mieux acceptées car préalablement débattues).

De l'utilité de quelques définitions : conversation, discussion, débat

Nos interactions verbales n'ont pas toutes la même teneur ni les mêmes fonctions.

La conversation est une activité de la vie quotidienne qui a un rôle social très fort. Elle a un caractère immédiat, spontané, familier, gratuit, sans finalité autre que l'interaction elle-même, et elle est généralement égalitaire. C'est principalement la conversation au travail qui a manqué pendant l'épisode de confinement du printemps 2020.

La discussion se distingue de la conversation par le fait qu'elle a un objet déterminé et précis (le sujet de la discussion), même si elle peut rester relativement informelle. À la différence de la première, elle peut reposer sur l'expression d'une différence, voire d'une divergence. La discussion peut être coopérative ou devenir conflictuelle.

Passer de la discussion au *débat*, c'est prêter une importance particulière à l'organisation de la discussion : fixation de thèmes, d'objectifs, choix des participants, distribution des tours de paroles, temps imparti. La dimension argumentative y est beaucoup plus importante, et les participants sont animés par le désir de convaincre. Le débat nécessite en outre la présence d'un animateur ou d'un modérateur. Le débat peut être vu comme une confrontation d'opinions à propos d'un objet particulier ou encore comme une compétition coopérative loyale qui n'entraîne ni règlement de compte, ni rancœur.

Renouer avec l'esprit de la *disputatio* médiévale

La pratique de la discussion organisée et du débat comme confrontation qui permet d'aboutir à l'expression d'un consensus – que l'on pense aux joutes oratoires – ou d'une vérité – que l'on pense à la vérité judiciaire à l'issue d'un procès au pénal, ou à la vérité scientifique telle qu'elle se construit dans le dialogue académique par le biais des revues et des conférences – renvoie à des traditions anciennes.

Dans la scolastique médiévale, la *disputatio* se définit comme :

> « Une forme régulière d'enseignement et de recherche, présidée par un maître, caractérisée par une méthode dialectique qui consiste à apporter et à examiner des arguments de raison et d'autorité qui s'opposent autour d'un problème théorique ou pratique et qui sont fournis par les participants et où le maître doit parvenir à une solution doctrinale par un acte de détermination qui le confirme dans sa fonction magistrale. » (Bazan et al. 1985, p. 40)

Cette méthode intellectuelle de recherche de la vérité s'exerçait oralement : initialement centrée sur la théologie, elle va peu à peu traiter de tous les domaines du savoir. Relevons les points importants de cette démarche pour le sujet qui nous occupe.

La *disputatio* repose sur la méthode *dialectique*, c'est-à-dire un raisonnement qui s'appuie sur la logique et l'argumentation. La dispute se déploie selon un mouvement ternaire à partir de la *questio* posée (la proposition à débattre), avec un *respondens* (qui débroussaille le terrain des options possibles), un *opponens* (qui apporte les arguments contraires), une *determinatio* magistrale (qui opère la synthèse de la solution) et une réponse aux objections (qui lève les derniers doutes). Ce schéma *pro/contra/determinatio* a pour but premier de rechercher une vérité « probable », c'est-à-dire *accessible par la discussion,* au sein du maquis des opinions humaines. Elle est structurée par la position des participants à la discussion : le « maître » est reconnu pour son autorité et se pose ainsi en arbitre final, tandis que les *respondens* et *opponens* acceptent que la valeur de leur participation soit évaluée à l'aune de l'autorité du « maître ». En outre, le problème soulevé initialement est relativement bien défini, et la discussion a pour objectif de trouver un accord, une solution. Le cadre de la *disputatio* en entreprise est orienté vers l'action : l'objectif est de parvenir à un consensus à propos d'une décision en vue d'une action particulière (lancer ou non tel produit, accepter ou non tel investisseur). En cela, elle diffère de la discussion *scientifique* qui porte sur un problème mal ou non défini *a priori*, et dont la finalité est d'évaluer le degré de vérité d'une théorie, à un moment donné, en fonction du résultat des *tentatives de réfutation* auxquelles elle doit être soumise (Popper, 1985). Au-delà d'objectifs par nature différents, le débat organisé dans l'entreprise, comme dans le monde académique, permet d'échapper au piège contemporain de l'enfermement de nos subjectivités dans des logiques circulaires dangereuses. « Fake news » et « bulles de filtre » (*filter bubbles*) désignant la personnalisation des contenus par les algorithmes sur les réseaux sociaux, qui enferme dans une bulle d'isolement intellectuel et informationnel.

Renouer avec l'esprit de la *disputatio*, c'est-à-dire de la confrontation de propositions argumentées dans un cadre précis et régulé, devient une urgence si l'on veut échapper aux pièges des biais cognitifs (voir Règle n° 2) et autres effets néfastes d'une vision du monde cloisonnée et rétrécie.

Les *confrontation rooms*

Cette grande entreprise mondialisée, très orientée sur l'innovation, a mis en place des *confrontation rooms* pour débattre du lancement de nouveaux produits. La consigne explicite donnée aux participants de ces réunions est de mettre en questionnement le projet porté par leurs collègues et de pousser les critiques jusqu'au bout de l'exercice. La prise de décision faite par le dirigeant (*determinatio*) présent à cette réunion sera d'autant mieux acceptée que le porteur du projet aura été poussé dans ses retranchements, et que tous les arguments opposés auront été explicités, analysés, combattus. Avec une règle bien comprise par tous les participants : « ce n'est pas parce que j'ai férocement critiqué ton projet que je ne t'apprécie pas professionnellement, et que je ne travaillerai pas avec un plein esprit de coopération dès le lendemain ! ». Les attaques *ad hominem* sont évidemment totalement proscrites. Une fois la décision prise, elle ne peut être mise en question par les participants.

Confrontation *versus* conflit

La confrontation représente aussi une méthode pour faire émerger les tensions ou conflits latents qui polluent la vie des organisations. Les différends qui ne sont pas formulés sont des bombes à retardement ; sous le consensus apparent se prépare le retour du refoulé qui menace d'exploser. Et même sans conflagration, ce refoulé est source de mal-être au travail, d'immobilisme et de passivité des équipes.

Toutes les divergences de points de vue (désaccords) ne sont pas des conflits, mais ils peuvent le devenir, s'ils ne sont pas traités. Les conflits prospèrent sur le terreau d'une confrontation qui n'a pas eu lieu ou est restée irrésolue.

La confrontation permet d'affirmer clairement et directement l'existence de tensions ou de positions divergentes. Elle doit rester strictement centrée sur l'objet du désaccord (contrairement au conflit qui débouche souvent sur des attaques personnelles), et elle reconnaît le droit et la légitimité à chacune des parties d'avoir une position différente ; elle permet d'écouter les arguments mutuels et de définir le champ de la résolution du problème. Elle peut déboucher ensuite sur une négociation ou sur toute autre forme de règlement des différends. Il est donc très important d'installer des cadres permettant la confrontation afin de prévenir les conflits.

Au-delà de la méthode de résolution, la pratique de la confrontation fait le plus souvent apparaître que les différends se développent à partir de problématiques liées à l'organisation et au pilotage de l'activité. Par exemple, des chevauchements de territoires, des postes mal définis, des objectifs vagues ou surévalués, un manque de planification et de priorisation, une absence de critères d'évaluation, un management par l'urgence, etc. La confrontation représente alors un formidable révélateur des manques ou des contradictions de l'organisation ou du management, et une occasion d'apprentissages multiples.

Métisser et hybrider les équipes

L'ethnologie, l'anthropologie, la philosophie nous l'ont enseigné : la première des confrontations est celle qui se produit avec l'Autre, avec le visage d'autrui, radicalement différent de soi et qui nous renvoie à notre responsabilité totale (Levinas, 1961). Cette rencontre avec l'altérité, expérience fondatrice, produit un déplacement, un décentrage de l'être pouvant produire deux types de réactions : l'accueil et la coopération, le rejet et la relation conflictuelle.

En voulant protéger l'organisation de la confrontation, on aboutit souvent à activer les comportements non coopératifs, tout en affirmant le contraire. Dans la période des débuts du e-commerce, les grands acteurs de la distribution ont fait des choix de ce type : préserver les équipes en charge de l'animation des points de vente physiques, en les isolant des nouvelles équipes marketing et commerciales du canal digital. Les directions justifiaient cette décision par la prudence : il fallait éviter que les équipes « points de vente » ne se sentent menacées ou fragilisées par les nouveaux investissements opérés sur le digital, d'autant qu'il était difficile d'anticiper au départ comment allait évoluer la répartition des parts de marché. Les marques voulaient aussi éviter de susciter la méfiance des distributeurs, puisque le digital permet de contourner ceux-ci en instaurant un canal direct avec le consommateur final. Non seulement ces séparations ont accentué la méfiance réelle entre les acteurs, mais en outre elles ont retardé l'acculturation croisée des équipes qui, en définitive, étaient toutes en charge d'augmenter les ventes. De ce fait, lorsque les stratégies « phygital » et cross-canal ont pris le dessus, il est devenu indispensable d'hybrider les équipes, de mixer les compétences digitales et les compétences de marketing traditionnel, mais cela a souvent été laborieux et compliqué. Ainsi, la méfiance se cristallisait en partie sur la répartition du chiffre d'affaires entre les canaux, les charges et coûts d'exploitation n'étant pas comparables. Une grande enseigne a pris la décision d'attribuer le chiffre d'affaires fait via son magasin en ligne aux différents magasins physiques : le client, en créant son compte, choisit un magasin de référence, ou donne son adresse, et les ventes réalisées seront imputées au magasin le plus proche.

De même, chez certains industriels, la production par fabrication additive (ou impression 3D) est souvent isolée des ateliers de fabrication « classiques ». Au contraire, l'usine Bosch de Mondeville a choisi de placer l'équipe 3D au milieu des lignes de production, car elle vient en appui des opérateurs, en produisant des petites pièces de réparation machines, des éléments ergonomiques pour le poste de travail ou encore en prototypant de nouvelles lignes de production pour les améliorer avant qu'elles ne soient réellement installées. Ainsi les opérateurs se familiarisent-ils tout naturellement avec cette technologie nouvelle (Pellerin et Cahier, 2019).

Un haut niveau de mixité des compétences est aujourd'hui requis dans un très grand nombre de projets. Par exemple, dans les projets Industrie 4.0, il est devenu indispensable de mixer les *geeks* et les *ops* pour qu'ils apprennent à fonctionner ensemble, alors que les cultures du monde du numérique et celles des opérations sont souvent très éloignées les unes des autres. À terme, des compétences *geek-ops* spécifiques émergeront de ce processus de métissage (Valentin, 2020).

À l'échelle plus globale de la composition des équipes, beaucoup d'entreprises françaises se caractérisent par une grande homogénéité, voire une consanguinité des diplômes et filières de recrutement, pour une profession donnée. Cela produit des équipes où tout le monde « pense pareil » pour un type de fonction donnée. Il est très utile de veiller à la mixité des profils et de les diversifier dès le recrutement, afin de créer de la dissonance au sein même des équipes, en valorisant des profils *maverick* qui penseront hors des sentiers battus. C'est ce qui a fait le succès de l'entreprise de design et d'innovation IDEO créée en 1991 à Palo Alto, à l'origine de la conception d'innovations célèbres comme le PC portable ou la souris Apple. Les résultats sont souvent très enrichissants, même si cela ne garantit pas le succès – l'échec provenant souvent d'un défaut d'accompagnement à l'intégration.

Le forum et la percussion au service de la créativité collective

Organiser les espaces de discussion et la percussion des idées, métisser les compétences et les personnalités, tout cela permet également de développer la créativité collective. De même que l'« intelligence collective[1] » ne résulte pas de la juxtaposition d'intelligences individuelles (Dewey, 1916, 1920), la créativité collective n'est pas le fruit d'une somme de personnalités qui seraient « créatives », mais au contraire de la percussion entre différentes manières de penser. On peut donc créer des « lieux » ou des espaces particuliers destinés à développer ces rencontres, afin de favoriser l'émergence de cette compétence transversale particulière qu'est la créativité collective. Faire preuve de créativité, c'est savoir se projeter dans l'inconnu, travailler sur et dans le changement, mais paradoxalement, cela nécessite aussi d'avoir des approches partagées et très structurées, telles que le *design thinking* et le design d'expérience client, qui ne se limitent pas à coller des post-it sur un tableau blanc.

Quels sont les processus aux sources de la créativité ? Arthur Koestler (1905-1983) est un romancier, essayiste et journaliste, qui

1. Le philosophe pragmatiste américain John Dewey (1859-1952), célèbre pour ses écrits sur l'éducation et sa théorie de l'action collective, appelle « *l'intelligence collective* » une forme d'intelligence *sociale et organisée*. La méthode de l'intelligence collective repose sur des « *méthodes d'observation, d'expérimentation, de réflexion et de raisonnement qui sont en constante évolution* ». L'intelligence collective est une production sociale, qui consiste en une expérimentation fondée sur le partage et la communication dans l'expérimentation d'hypothèses, dans le but de parvenir à résoudre un problème, identifié collectivement.

a proposé une théorie générale de la créativité, ouvrant la voie à de nombreux travaux de recherche, en psychologie et neurologie, sur les processus mentaux qui sous-tendent les actes créatifs (Koestler, 1964). Il met en avant un point commun à la création artistique et la création comique : l'acte « bisociatif ». Ce terme désigne un processus mental caractérisé par une « *rupture novatrice qui relie des systèmes de référence jusqu'alors séparés. Cette rupture active généralement différents modèles mentaux basés sur la comparaison (métaphores, analogies, paraboles)* » (Cohendet, 2016, p. 616). Ainsi les actes créatifs sont le fruit de la rencontre inattendue et percutante entre deux cadres de pensées qui habitaient jusque-là des mondes disjoints qui pouvaient même paraître incompatibles. Comme on l'a vu au chapitre 3, les cadres de pensée de référence, caractérisés par des règles, routines, et codes, permettent d'anticiper les comportements et de prendre des décisions de manière automatique, mais peuvent aussi générer une certaine inertie organisationnelle. Pour favoriser la génération de nouvelles idées et solutions aux problèmes rencontrés, voire pour anticiper et construire les problèmes à venir, on ne peut pas compter sur la seule présence d'un Einstein, d'un Picasso ou d'un Coluche dans son organisation. En revanche, le principe de l'acte bisociatif montre bien comment les approches collectives reposant sur le forum et la percussion peuvent être fécondes pour stimuler l'intelligence collective, et générer des idées et solutions créatives, mais aussi gérer les situations de paradoxes et d'ambiguïté (voir chapitre 2). Cela met également en avant la dimension fondamentalement relationnelle de la créativité (au niveau individuel, et au niveau collectif). Pris collectivement, cet aspect relationnel, au principe de l'acte créatif, nécessite un certain niveau de confiance entre les membres du collectif. Le chapitre 3 a montré comment les recherches en management de l'innovation et en psychologie sociale (Amabile, 2012 ; Edmondson, 1999, 2018) ont insisté sur la sécurité psychologique au sein de l'organisation comme étant la base indispensable au développement des processus créatifs et à l'organisation apprenante.

Et maintenant, ACTION !

Managers

- Mettre en scène des espaces de discussion et de débat dans lesquels les règles de la confrontation sont connues, avec une animation dédiée que le manager évitera de prendre en charge lui-même.
- Chasser les silences indiquant « je n'en pense pas moins » et pousser à l'explicitation des arguments au sein de votre équipe.
- Challenger les collaborateurs en précisant la règle du jeu (« je vais au bout du raisonnement / je me fais l'avocat du diable… ») et remercier, à la fin, pour la qualité des échanges et des idées.

RH

- Favoriser la diversité et le métissage dans la composition des équipes par tous les moyens : quotas, incitation active, règles du jeu de test pour rassurer le recruteur, profils « *maverick* », etc.

Comex

- Faire des discussions au Comex un modèle de confrontation coopérative : « Si nous arrivons à le faire à notre niveau, en bienveillance exigeante, nous sommes sûrs que nos collaborateurs suivront l'exemple ! »
- Créer et faire vivre des lieux dédiés à la créativité collective et aux méthodes agiles.

Partie 3

Les règles d'or des organisations qui apprennent vite

4 règles pour le pilotage stratégique de l'apprentissage à l'échelle

La fabrique de la (*fast*) *learning company* demande un engagement particulièrement intense et actif de la part des dirigeants. Les six premières règles développées dans la partie précédente montrent en quoi les Comex sont, eux aussi, concernés par des changements qui interviennent simultanément à trois niveaux – l'individu, l'équipe, l'organisation. Cette nécessité d'une interaction constante demande un pilotage stratégique précis et souple de l'apprentissage à l'échelle.

Cette partie propose quatre règles pour aider les dirigeants à prendre de la hauteur. Comment assurer les conditions organisationnelles et le pilotage d'une entreprise qui apprend vite ?

- Règle d'or n° 7 ♦ *Case for change* : faut-il mettre le feu ?
- Règle d'or n° 8 ♦ Réunir les conditions organisationnelles de l'apprentissage à l'échelle
- Règle d'or n° 9 ♦ Le *Learning* Dirigeant, ou le modèle de direction revisité
- Règle d'or n° 10 ♦ Piloter un projet d'apprentissage rapide et à grande échelle

Règle d'or n° 7

Case for change : faut-il mettre le feu ?

Faut-il une bonne raison pour faire basculer son entreprise vers la *fast learning company ?*

Un soir de juillet 1988, une plate-forme pétrolière explose en pleine mer du Nord, au large de l'Écosse (Petitbon *et al.* 2011). 166 employés et deux sauveteurs trouvent la mort dans ce tragique accident. L'un des 63 survivants est le super-intendant de la plateforme, Andy Mochan. Réveillé par l'explosion et les alarmes, il court de son lit vers le bord de la plateforme et plonge dans l'eau glacée, 50 mètres plus bas. Il sait à ce moment-là qu'à cause de la température de l'eau, il ne peut survivre que quelques minutes s'il n'est pas secouru. De plus, la mer est recouverte de nappes de pétrole en feu. Et pourtant il plonge de 50 mètres au beau milieu de la nuit dans l'océan en feu plein de débris. Lorsque, sur son lit d'hôpital, on lui demande pourquoi il a entrepris ce saut potentiellement fatal, il n'hésite pas : « *J'avais le choix entre sauter et frire.* » Il a choisi une mort probable plutôt qu'une mort certaine…

Quelques jours plus tard, Daryl Connor, consultant et chercheur américain spécialisé dans la conduite des transformations, est frappé par le témoignage d'Andy Mochan, qui illustre parfaitement ses convictions sur la nécessité de garantir l'engagement des dirigeants dans les projets de transformation. Un projet de transformation d'entreprise ne peut aboutir, dit-il, que si les dirigeants et collaborateurs de l'entreprise sont absolument convaincus de la nécessité de le mettre en œuvre, faute de quoi l'entreprise court à sa perte. La métaphore de la «*burning platform*» venait de s'imposer à lui. Il la popularisera avec talent dans ses conférences et publications, et en fera un «must» de la conduite de transformations, souvent convoqué (et parfois dévoyé) par les dirigeants d'entreprise et par les consultants en management.

La mise en scène de type *burning platform* a l'immense mérite de souligner l'importance et l'urgence du changement. Elle souligne également l'importance de l'engagement comme clé de réussite de la transformation. Elle place l'ensemble des acteurs de la transformation, à commencer par le dirigeant mis en situation d'exposer son exemplarité, devant la nécessité de manifester leur engagement en faveur de sa réussite.

Mais cette approche peut aussi générer un sentiment de panique contraire à l'objectif de mobilisation des équipes. Elle présente également le risque de crisper le corps social. Au lieu de le tourner vers l'avenir, le danger est de pousser à une démarche d'autojustification tournée vers le passé (voilà ce que nous étions, voilà pourquoi nous devons changer). L'effet peut se révéler terriblement contre-productif, voire porteur de conséquences lourdes en termes de risques psychosociaux. Daryl Connor le répète à l'envi: «*Le concept de "burning platform" a souvent été dévoyé […]. Mon intention était de provoquer l'engagement, on l'a parfois utilisé pour créer la panique. Je le regrette, car c'est l'exact contraire du message que je cherchais à faire passer*[1].»

---

1. *Burning Platform, The Misunderstanding*, Entretien de Daryl Connor avec Luc Galoppin : https://www.youtube.com/watch?v=KwRB0sHpN9E.

La *burning platform* appliquée à la transformation des compétences

Faut-il imaginer une *burning platform* pour pousser à la transformation rapide des compétences ?

Il est possible de jouer cette carte, d'autant que les chiffres et l'actualité peuvent faire peur dans de nombreux secteurs professionnels… Selon les travaux de PwC, 30 % des emplois seront automatisés d'ici à 2030, 54 % des employés devront faire évoluer leurs compétences d'ici à 2022… Pour le secteur bancaire, des suppressions d'emplois sont annoncées au sein des agences bancaires, avec *a minima* un besoin de reconversion de milliers de salariés vers les métiers de la relation client et du digital. Pour la grande distribution, pas un jour sans un article de presse annonçant la diminution du besoin en hôte.sses de caisse, en raison du passage au multicanal et de nouveaux outils d'automatisation comme le self-scanning et d'autres nouveaux modes d'achat, et la conversion de ces personnels vers des rôles d'acteurs polyvalents en magasin ou de conseillers bio. Les caristes en entrepôt pressentent aussi l'arrivée des robots. Les auditeurs, quant à eux, voient les algorithmes faire avec précision la réconciliation d'écritures, qui était le B. A.-BA de leur métier, et doivent trouver une autre valeur ajoutée dans la relation avec leurs clients.

Face à ces réalités menaçantes, il y a l'école des prudents qui ne veulent pas « désespérer Billancourt » et évitent d'ajouter une composante anxiogène à un environnement qui l'est déjà bien assez. Ce dirigeant d'une grande banque, par exemple, préfère, un dialogue social convenu avec des partenaires sociaux eux-mêmes fonctionnarisés, plutôt que partager une vision difficile de l'avenir des agences bancaires de proximité, qui devrait conduire à des choix explicites sur le modèle de l'entreprise. Cette catégorie de dirigeants ne renonce cependant pas à agir – notamment en mobilisant des budgets de formation importants – mais elle tend à rester *dans l'implicite*.

Face à cette première catégorie de dirigeants, ceux « qui parlent cash », qui « disent les choses » tout haut, considèrent *a contrario* qu'il est dangereux de rester dans l'implicite. Car l'implicite peut être tout aussi anxiogène que la parole « vraie » pour les collaborateurs. Ceux-ci ont alors le sentiment qu'on leur cache la réalité et mettent en perspective le discours lénifiant de leur direction avec l'information qu'ils glanent ici ou là, les indices perçus dans l'évolution de leur contexte de travail ou dans les exemples de transformation brutale d'autres entreprises que leur rapportent leurs proches.

C'est souvent la deuxième approche qu'il faut privilégier : si elle inquiète ceux qui ne veulent pas anticiper les risques et préfèrent la politique de l'autruche, elle permet de poser les enjeux et de les partager – et à chacun de se positionner, de faire le point sur « où j'en suis dans l'adaptation de mes pratiques professionnelles et de mes compétences ».

Cash oui, mais avec une vision simple et claire des compétences du futur

Dire les choses « cash » doit cependant aller de pair avec une vision de la transformation des compétences qui sera appuyée par une vision sur l'accompagnement que l'entreprise entend apporter face à ces transformations : « Mes compétences d'aujourd'hui ne garantissent pas mon employabilité de demain, mais si je vois comment je peux les faire évoluer, quel est le chemin possible, alors j'aurai moins peur de l'avenir et pourrai m'engager. »

L'entreprise doit donc mettre en évidence les voies et moyens qu'elle envisage de mettre en œuvre pour gérer la montée en compétences des collaborateurs. Une partie repose bien entendu sur l'offre de formation, mais une autre consiste à mettre en évidence les parcours possibles ouverts au salarié.

Une entreprise de la grande distribution a ainsi construit un quadrant de « proximité » des métiers, afin de permettre à chaque collaborateur de visualiser, en fonction de son métier actuel, les métiers possibles pour demain, en indiquant l'ampleur du *gap* à combler entre les compétences actuelles et celles du métier cible. Une entreprise du BTP a mis en place des coachings personnalisés pour chacun. Et dans de nombreuses entreprises, les points réguliers avec les managers doivent aussi être mis à profit pour faire le point sur les compétences.

La Tech Academy de l'entreprise mondialisée de produits de grande consommation

Le président de cette firme a mis en avant le digital comme une compétence stratégique pour l'entreprise qui doit être mieux maîtrisée à tous les niveaux. Il a été « cash » et affirmé à la population IT : *« On n'est pas au niveau. Si vous ne vous bougez pas, si vous ne montez pas en compétence, il faut que vous étudiiez un avenir en dehors de l'entreprise. »* Il s'appuyait sur les chiffres donnés par un cabinet de conseil en stratégie international, assénant que la moitié des métiers et des technologies portés par la DSI de cette entreprise seraient obsolètes dans les trois ans.

Douche froide dans l'assistance des populations IT.

La question est capitale pour ces professionnels. Ils sont de bon niveau, souvent dans l'entreprise depuis longtemps, mais ils s'appuient beaucoup sur la plus-value de leurs prestataires pour penser le métier de demain et ses évolutions. Cette population avait, dans les dernières années, surtout été formée aux *soft skills* (mieux négocier, développer son empathie avec les équipes, etc.), ce qui était bien sympathique mais assez éloigné des défis de l'heure pour des métiers en transformation accélérée. Il n'y avait pas d'état des lieux des compétences et personne n'était réellement en charge de l'apprentissage des équipes.

Le projet? Une Tech Academy pour former les hommes de la tech à redevenir très tech, mais aussi pour les aider à mieux comprendre les changements dans le business.

Chaque professionnel des IT a pu auto-évaluer ses compétences dans 14 domaines du champ, depuis la cybersécurité et le cloud jusqu'à l'architecture et les opérations IT, à travers une application dédiée.

Cette auto-évaluation s'est faite sur la base du volontariat. Ceux qui l'ont passée ont reçu un rapport qu'ils peuvent partager – s'ils le souhaitent – avec leur manager ou avec les correspondants RH. Ce bilan permet de construire un « voyage personnalisé d'apprentissage » pour progresser. Une seconde « app » permet de visualiser les évolutions possibles à partir du niveau d'où chacun part. Par exemple, je dis à l'application que je suis chef de projet en spécifiant mon niveau et mes compétences, je dis que je veux devenir *scrum master* et je vois le chemin à parcourir.

Très bon accueil des professionnels qui avaient été secoués par le discours du patron. Les partenaires sociaux ont aussi joué le jeu pour que chacun entre en confiance dans le dispositif. Les équipes se sont emparées des outils ; elles identifient comment progresser sur les points sensibles – au travers de la formation, du parcours individualisé, mais aussi à travers les projets concrets de travail qui permettent de mettre en application les apprentissages.

Quels KPI's pour quel *business case*?

Le passage au confinement le 16 mars 2020 a rendu impérative la transformation immédiate des modes de travail dans les entreprises, avec la bascule sans conditions dans le télétravail. La question du *business case* ne se posait pas. Aussi bien pour les collaborateurs que pour les dirigeants, il n'y avait plus qu'un seul impératif : l'apprentissage accéléré de nouveaux modes de travail, condition *sine qua non* de la poursuite de l'activité, voire de la survie de l'entreprise à court terme.

Dans de nombreuses autres situations, la question du *business case* se pose pour justifier l'impératif de transformer les modes de travail et les compétences : qu'est-ce qui justifie *in fine* d'investir lourdement sur une évolution des modes de travail ? Et avec quel retour sur investissement ?

L'étude menée par PwC en fin 2019 sur des entreprises françaises est édifiante : à peine un quart des entreprises a construit un *business case* précis et documenté pour justifier une montée en compétences des équipes avec les investissements liés. Dans la plupart des cas, on lance l'investissement à la conviction ou au doigt mouillé.

Quand la modélisation permet d'éviter un investissement lourd dans la polyvalence

Cette entreprise de logistique n'était pas satisfaite du mode de travail et de management dans ses entrepôts : le travail y était organisé de manière taylorienne, en mobilisant avant tout un acteur clé, le préparateur de commandes. Celui-ci, piloté en temps réel par l'ordinateur central de l'entrepôt via le casque qu'il porte sur les oreilles, était focalisé sur sa production individuelle qui donnait lieu à une prime de production significative. Ce mode de travail parcellisé ne permettait pas de construire de l'entraide entre les opérateurs de l'entrepôt – par exemple entre préparation de commande et expédition – et générait des hiérarchies implicites, conduisant les jeunes embauchés ou les intérimaires à prendre en charge les produits demandant le plus de charge physique.

Un manager passionné de sciences humaines propose de remplacer ce modèle par une organisation polyvalente et enrichie : fonctionnement par équipe rassemblant plusieurs métiers, remplacement de la prime individuelle par une prime collective, avec en bout de course une évolution possible de tous les acteurs vers d'autres métiers dans une vision dynamique des emplois et des compétences.

Débats toniques dans l'entreprise entre les « pour » et les « contre », les seconds considérant l'organisation envisagée comme une douce rêverie d'idéalistes ne connaissant rien au terrain, les premiers voyant leurs interlocuteurs comme rétrogrades, incapables d'accepter l'idée d'un management bienveillant et humain propre à l'entreprise de demain.

Pour les départager, une étude méthodique a été menée, prenant en compte les paramètres multiples qui jouent sur la qualité de la production et la productivité : impact de l'organisation sur les risques d'accident, sur l'évolution des salaires, sur la productivité pour chaque entrepôt en fonction de son mix produit.

Parmi les surprises de ce travail de terrain : les collaborateurs en entrepôt n'étaient pas vraiment enthousiastes à l'idée du passage à cette organisation « enrichie » – la plus-value de la polyvalence leur apparaissant assez aléatoire par rapport à la sécurité d'une organisation du travail bien calée et maîtrisée.

Business case non concluant : à terme, la nouvelle organisation pouvait peut-être générer plus de souplesse et permettre un faible gain de productivité. Mais au prix d'un investissement considérable pour mener la transformation – modélisation de la nouvelle organisation, test de celle-ci, formation-action des équipes, transformation du rôle du management. L'idée n'a donc pas été retenue.

Pour bien poser un *business case* dans le champ du développement des compétences, on pourra commencer par évaluer les pertes et les coûts liés à la mauvaise maîtrise ou à l'absence de compétences dans un domaine donné. Un exemple ? Une entreprise a constaté des décalages importants de budget et de calendrier sur une vingtaine de projets à fort enjeu. Elle a traduit la perte que cela représentait en équivalent monétaire. La démonstration était ainsi faite que l'insuffisante maîtrise ou le partage insuffisant des compétences en matière de gestion de projets nécessitait de prendre des mesures, et d'engager un programme d'*upskilling* sur ce point.

Ensuite, il est nécessaire d'avoir une projection stratégique de ce que seront les métiers de demain. Même si elle comporte une dose inévitable d'incertitude, elle doit couvrir les différentes fonctions de l'entreprise… et si on veut jouer l'argument de comparaison, on mobilisera un benchmark de ce que font les concurrents les plus avancés dans ce domaine.

D'un point de vue financier, il devient alors possible de conduire une évaluation du coût approximatif de l'accompagnement des salariés qui ne resteraient pas dans l'entreprise (plan social, plan de reconversion, etc.). Cette démarche indispensable peut être menée avec rigueur, comme le montrent Christian Scharff et Laurent Probst (2018), qui mettent en avant le retour sur investissement d'un programme de développement de compétences bien mené, en intégrant, au-delà des coûts de formation, le temps des collaborateurs formés et les coûts annexes. Le retour sur investissement se compte bien plus souvent en mois qu'en années. Et il est encore supérieur si l'on prend en compte la plus-value humaine pour les collaborateurs accompagnés dans leur parcours… et *a fortiori* si on prend en compte l'intérêt général, avec les économies faites dans les politiques publiques de soutien aux demandeurs d'emploi.

Et maintenant, ACTION !

Managers

- Intégrer dans vos budgets la projection du coût de *ne pas* investir sur la montée en compétences – dans la perte de marché, dans le besoin d'accompagner des reconversions ultérieures – et les modes de développement des compétences autres que la formation (temps dédié pour les équipes).

RH

- Avoir des scénarios documentés en matière de gestion des compétences – évaluer les coûts engendrés par la pénurie ou l'obsolescence des compétences, et assurer la mise en scène des enjeux économiques auprès du Comex.
- Développer des outils d'auto-évaluation des compétences pour les différents métiers et en faire un levier de communication pour inciter à la mise en mouvement.
- Être transparent vis-à-vis des partenaires sociaux et des personnels sur les métiers à risque et sur le besoin d'évolution pour ceux qui les incarnent.

Comex

- Faire de la transformation des compétences un point majeur de la stratégie et l'incarner.

Règle d'or n° 8

Réunir les conditions organisationnelles de l'apprentissage à grande échelle

L'organisation de votre entreprise facilite-t-elle l'apprentissage rapide des équipes et leur montée en compétences, ou le complique-t-elle ?

Les pratiques de management sont essentielles pour l'apprentissage organisationnel, comme nous l'avons développé dans les pages précédentes. Mais elles ne peuvent pas se déployer efficacement contre les paramètres « durs » que sont les structures de l'entreprise. Ce sont elles qui vont créer les conditions de la coopération, de la confiance, du partage d'informations et de la confrontation des points de vue, indispensables à l'apprentissage.

On ne coupe pas à la question du design organisationnel.

Quiz ◆ Le design organisationnel de votre entreprise freine-t-il l'apprentissage des équipes ?

Chez nous il y a une séparation claire entre ceux qui définissent les activités à mener – organisateurs, « méthodes », « planneurs » – et ceux qui les mettent en œuvre.

☐ OUI ☐ NON

Notre comité de direction comprend les fonctions stratégiques de l'entreprise, qui pensent le long terme, et les grands fonctionnels – nous y mettons peu d'opérationnels pour éviter de ne parler que du quotidien.

☐ OUI ☐ NON

Notre comité de direction a une composition homogène, avec des membres passés par les meilleures écoles, ayant montré leur succès dans différentes fonctions de l'entreprise, ce qui nous permet de nous comprendre au quart de tour et d'être vite aligné dans notre prise de décision.

☐ OUI ☐ NON

Nous sommes très focalisés sur les résultats et chassons les temps morts dans l'organisation du travail – nous poussons les équipes à être « focused » et à ne pas perdre du temps en réunions ou échanges inutiles non directement pertinents pour leur activité.

☐ OUI ☐ NON

Nous avons une séparation forte des métiers et expertises dans l'organisation des équipes et des projets : les experts des data, par exemple, interviendront après les experts du marché et dépendront de toute manière de hiérarchies différentes, avec chacune son agenda et ses modes de fonctionnement. Cela nous permet de mobiliser chaque équipe sur son cœur de compétence.

☐ OUI ☐ NON

Vous avez répondu « oui » à ces cinq questions ? Votre organisation est probablement très bien gérée pour obtenir des résultats dans un contexte stable – mais moins pour permettre à ses équipes de pivoter rapidement et d'apprendre vite !

Confronter l'organisation taylorienne et l'organisation apprenante

Le premier ingrédient d'une entreprise qui apprend mal et lentement est connu : une stricte séparation entre ceux qui pensent et ceux qui font. C'est la caractéristique de l'entreprise taylorienne (voir chapitre 2).

Figure 12 – Formes d'organisation et organisation du travail

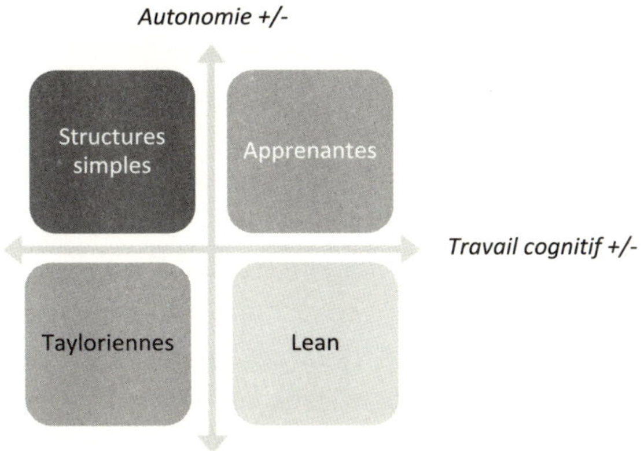

Source : Auteurs, d'après la typologie de Lorenz et Valeyre (2005).

En se fondant sur les enquêtes EWCS (*European Working Conditions Survey*), les chercheurs Lorenz et Valeyre (2005) ont mis au point une typologie des formes d'organisations selon la manière dont le travail y est organisé et exercé. Quatre types d'organisation se dégagent : l'organisation apprenante, l'organisation *lean*, le modèle taylorien et la structure simple.

Dans les organisations du travail apprenantes, les salariés disposent d'une forte autonomie, sont souvent polyvalents, participent activement à l'élaboration des objectifs avec la hiérarchie et apprennent en continu. Dans les organisations *lean*, cette autonomie est plus encadrée, les processus sont très standardisés et on y trouve de fortes contraintes de rythme de travail. Les organisations tayloriennes se caractérisent par une autonomie limitée (l'autonomie peut être supérieure dans les structures simples), mais dans les deux, on trouve des tâches répétitives et un faible apprentissage dans le travail, avec des procédures de travail peu formalisées pour les structures simples.

Un rapport récent de France Stratégie (2020) étudie les liens entre modèles d'organisation et fréquence des innovations (Benhamou et Lorenz, 2020). On constate une corrélation positive entre organisations du travail apprenantes et fréquence des innovations « en première mondiale ». En revanche, il existe des corrélations négatives entre fréquence des organisations en *lean* production ou taylorienne dans un pays donné et le taux d'innovation de ses entreprises. « *Bien qu'une corrélation au niveau national ne suffise pas à démontrer la causalité, ces résultats suggèrent qu'il existe un lien systémique entre les possibilités d'apprentissage et d'exploration de nouvelles connaissances offertes aux salariés dans leur travail quotidien et la capacité des entreprises à développer des produits et services avec un fort degré de nouveauté* » précise le rapport (p. 8). La qualité du travail et du management est également meilleure dans les organisations apprenantes. Or, sur la période 2005-2010, la France se caractérise par une baisse importante des formes apprenantes (-16 % de salariés concernés) et une augmentation continue des formes en *lean* (+10 %). En cause, un recul marqué de l'autonomie des salariés et des activités au contenu cognitif riche, dans un contexte post-crise économique qui a vu le travail s'intensifier en rythme et en objectifs quantitatifs.

Le modèle taylorien de la séparation entre ceux qui pensent – les bureaux des méthodes ou les « planneurs » (Dujarier, 2015) – et ceux qui font sur le terrain reste profondément ancré dans la culture des entreprises. Il faut mettre en tension ce modèle de plusieurs manières. D'abord, dans la composition des équipes des services de conception, des méthodes, d'organisation : ces équipes permettront l'apprentissage si elles brassent des équipiers issus du terrain avec des experts passionnés par leur savoir et le développant sur le temps long, et des personnes extérieures – consultants, universitaires, etc. Ensuite, avec la mobilisation de pratiques issues des méthodes agiles – boucles courtes permettant des interactions et des tests, et non des démarches de conception en chambre. Enfin, par la montée en autonomie des équipes.

Dessiner des structures qui mettent en résonance la diversité des compétences

C'est aussi dans les organigrammes qu'on identifie les entreprises qui apprennent vite. Vous avez un organigramme avec une claire distinction entre les métiers et une ligne hiérarchique longue, illustrant la logique de progression dans le métier ? Ce sera très souvent l'illustration que l'essentiel de la vie de l'organisation se fait dans son métier – le marketing, la production, les RH – et que les interactions avec les autres métiers passent après celles qui sont déterminées par la première appartenance.

Créer les conditions de l'apprentissage passe souvent par une rupture dans la conception des structures.

Les entreprises commencent à s'emparer de ce sujet. Nous n'évoquerons pas ici les modèles organisationnels correspondant aux entreprises libérées ou à la sociocratie, qui reposent sur la mise en œuvre de groupes ou équipes de taille restreinte avec une grande autonomie et dont les interactions dans le groupe et entre groupes reposent en grande partie sur les principes du management participatif (Gilbert *et al.* 2017 ; Weil, Dubey, 2020).

Nous analysons au contraire le cas de très grandes entreprises au management et aux structures beaucoup plus classiques mais qui ont pris la mesure des transformations en cours.

Organisation en écosystèmes, en plateformes, en pétales : autant de noms et d'images qui reflètent les expérimentations en la matière. Il est rare de voir autant d'inventivité et d'énergie mises au service d'une réflexion sur les structures organisationnelles.

Le point commun entre ces initiatives : favoriser la rencontre et la percussion des expertises, casser pour de bon les silos, intégrer le digital et le management collaboratif au cœur des modes de travail. Cela impose des efforts conséquents en termes d'explicitation, de formation, et d'apprentissages au quotidien des équipes. Ces structures fonctionnent comme des caisses de résonance entre les expertises. Le résultat escompté ? Être plus à l'écoute des nouveaux usages de consommateurs, toujours plus mobiles, exigeants, et se mettre au rythme de l'accélération de leurs nouvelles pratiques et de leurs nouvelles attentes.

L'organisation en écosystèmes dans le secteur de l'assurance

La filiale française d'une grande entreprise du secteur de l'assurance a lancé une nouvelle structure organisationnelle en 2018, autour de six écosystèmes centrés sur les besoins du client (mobilité, santé, avenir, vie quotidienne par exemple). L'objectif est d'accélérer la transformation digitale impulsée quelques années plus tôt et favoriser l'innovation.

Dans les années 2010, cette entreprise crée une direction du digital, qui regroupe le e-marketing, le big data, la création d'espace clients et d'applications. Il s'agit de construire différentes briques digitales, ainsi qu'un programme de formation en interne pour accompagner les services en interne. Un vrai choc des cultures ! Progressivement, des sujets communs ont été développés. Aujourd'hui, les équipes digitales sont pleinement intégrées aux autres directions, et la fonction IT s'est enrichie de nouvelles compétences.

Le grand changement de 2018 concerne la structure organisationnelle globale, pour intégrer les ruptures apportées par le digital, en termes de produits, services, usages et fonctionnement. Ce nouveau cycle se caractérise par un fonctionnement en « écosystèmes ». Ce terme désigne un mode de travail collaboratif et agile. Il repose sur des équipes d'une dizaine de personnes, pluridisciplinaires (experts métiers, spécialistes du marketing, commerciaux, informaticiens, coachs agiles, etc.) réunies dans un même espace de travail. Chaque équipe travaille sur un projet lié aux besoins, actuels et futurs, des clients.

Cette transformation s'accompagne d'un effort considérable de formation. Depuis 2018, chaque collaborateur impliqué a bénéficié de formations dédiées aux méthodes agiles et au leadership.

Les premiers résultats ne se sont pas fait attendre. Offres innovantes pour les problématiques émergentes (prévention dans la santé, économie du partage, nouvelles mobilités...) et progression du chiffre d'affaires sont au rendez-vous.

Du point de vue des méthodes de travail, la simplification des processus et le développement des méthodes agiles constituent la priorité.

Dépasser les seules logiques d'expertise : l'organisation des coopérations dans un grand cabinet conseil

Le modèle du consulting repose sur des expertises pointues : expertises sectorielles, dans l'industrie aéronautique, l'énergie, le tourisme par exemple ; expertises fonctionnelles (fonction finance, RH, SI) ; expertises techniques, comme la cyberintelligence ou l'intelligence artificielle.

Ces expertises indispensables demandent un haut niveau de compétence de la part des consultants et impliquent qu'ils soient focalisés sur leur savoir spécifique.

Les problèmes des entreprises clientes sont cependant souvent multiples et complexes, impliquant plusieurs champs de compétences. Être pertinent demande alors que le consultant en charge du compte soit capable de mobiliser et combiner plusieurs expertises, quand la logique de l'organisation l'inciterait à valoriser avant tout sa propre expertise...

D'un point de vue organisationnel, trois dispositifs incitent à la coopération.

Sur le plan commercial, un rendez-vous client sera qualifié de *bon* rendez-vous, uniquement s'il a mobilisé plusieurs consultants issus de différents domaines.

En outre, l'attribution de la prime commerciale pour la vente d'un projet n'est pas divisée entre les consultants ayant contribué à la vente, mais chacun des consultants ayant contribué à la vente reçoit une prime équivalente à ce qu'il aurait reçu s'il avait vendu le projet seul.

Sur le plan organisationnel, le fonctionnement en plateformes désigne des communautés organisationnelles associant des consultants issus de champs d'expertise différents autour d'un même objet – secteur économique ou grand enjeu de transformation d'entreprise – permettant aux consultants d'échanger autour de leurs analyses des enjeux des entreprises et des opportunités de développement de marché.

Organiser les espaces de confiance et de coopération

Pour apprendre, il faut partager – donner et recevoir. Cela ne va de soi dans des entreprises qui sont des organisations politiques, marquées par des territoires, des jeux de pouvoir personnels, ou dans les organisations impliquées dans de grands projets complexes les amenant à travailler avec des concurrents, dans des logiques de coopétition. Pourquoi partager des savoirs et des ressources qui forment une partie de ma crédibilité et de ma valeur auprès de mes collègues ?

Les «*knowledge brokers*» (voir chapitre 3), ou passeurs de savoir, sont un dispositif organisationnel qui peut répondre à cette question (Chiambaretto *et al.* 2019).

Étudiés chez Ubisoft, présents dans des entreprises comme L'Oréal ou Danone, ces dispositifs répondent à une problématique de *coopétition*, un mélange de coopération et de compétition. Comment favoriser à la fois la compétition entre des équipes engagées chacune dans l'innovation et permettre un partage des innovations pour assurer un apprentissage organisationnel dans l'entreprise ?

Les passeurs de savoir chez Ubisoft sont des acteurs indépendants des équipes de conception des jeux : leur mission est de favoriser le partage des outils de création. Ils le font à partir d'une veille technologique qui leur permet d'identifier les percées technologiques futures ou réalisées dans les projets de l'entreprise. Puis, ils font l'effort de standardiser les travaux pour les rendre moins spécifiques à un projet particulier et en permettre la mobilisation par d'autres équipes. Ils diffusent ensuite ces avancées pour qu'elles se répandent en dehors des équipes qui les ont produites.

L'efficacité des passeurs repose sur des règles du jeu clairement posées au sein de l'entreprise. Tout d'abord le *knowledge broker* respecte le « temps d'avance » de l'équipe qui a conduit l'innovation, en ne partageant pas immédiatement celle-ci, ce qui rassure les innovateurs et les incite à partager, confiants que leur idée ne sera pas tout de suite mobilisée par des collègues qui « oublieraient » de leur rendre hommage. Les *knowledge brokers* travaillent aussi à l'exportation des idées et à leur standardisation : on laisse l'équipe innovatrice poursuivre son projet sans lui demander ce travail souvent lourd et aride de formalisation des idées. Et ce sont les *k-brokers* qui prennent le temps et mettent au point les méthodes pour diffuser les innovations auprès des autres équipes.

Dans une autre recherche sur les conditions de partage des connaissances dans le cas d'équipes projet mobilisant plusieurs entreprises par ailleurs concurrentes, dans le secteur de l'aéronautique, Audrey Rouyre et Anne-Sophie Fernandez (2019) expliquent les logiques d'organisation du partage de l'information. Si la collaboration avec plusieurs concurrents dans le cadre de projets d'innovation couplés nécessite un partage des connaissances sans heurts pour assurer le succès du projet, la protection des connaissances est également essentielle en raison des risques de formation de coalitions, d'opportunisme et de fuite de connaissances.

Des tensions intenses entre le partage et la protection des connaissances peuvent survenir et doivent être gérées pour éviter l'échec du projet. Des mécanismes formels et informels sont mis en place pour gérer ces tensions. Contrairement aux projets d'*open innovation*, dans le cas d'un projet à fort enjeu mobilisant plusieurs firmes par ailleurs concurrentes, les auteurs soulignent le rôle limité des mécanismes informels pour gérer ces tensions. Une structure de projet plus centralisée, autour d'un tiers de confiance jouant le rôle de *knowledger broker*, a encouragé le partage formel des connaissances en protégeant les entreprises parties prenantes des transferts de connaissances non désirés entre concurrents. Ce tiers peut être une fédération professionnelle, une institution, un syndicat, voire un client.

Et maintenant, ACTION !

Managers

- Fixer des missions de déséquilibre : pour les remplir, il faut associer divers profils, diverses compétences et travailler en *squad*.
- Nommer un leader par *squad* avec pour objectif une totale autonomie dans la composition de son équipe.
- Être disponible, pas forcément présent !

RH

- Promouvoir les organisations ouvertes et responsabilisantes, en favorisant les initiatives dans l'entreprise, en les soutenant en communication et formation
- Organiser des temps d'échange ouverts, mixant les équipes de l'entreprise et celles d'autres univers – autres entreprises, associations, etc.

Comex

- Instaurer des dispositifs qui favorisent la coopération et le partage (« passeurs culturels », plateformes d'échanges).
- Promouvoir des ruptures organisationnelles qui décloisonnent et assurent le brassage rapide entre différents métiers et expertises.

Règle d'or n° 9

Le « *learning* dirigeant » ou le modèle de direction revisité

Pas d'entreprise apprenante sans dirigeant « apprenant ». Cette affirmation est une évidence mais elle véhicule en même temps son lot d'ambiguïtés. Car, au fond, qu'est-ce qu'un dirigeant apprenant ?

Dans le cadre d'une transformation d'importance, on attend d'un dirigeant qu'il fixe un cap et qu'il le partage avec détermination, sans en dévier. C'est ce socle de certitudes communiquées et partagées qui se traduiront par des feuilles de route, puis des objectifs, et enfin par des arbitrages et des décisions. Mais cette assurance dans le cap, cette détermination dans l'exécution, qui implique un recours au « *command and control* » et des troupes bien alignées sur les objectifs, sont-elles compatibles avec des modes de management favorables à l'apprentissage collectif, tels que nous les avons développés tout au long de ce livre ?

Il ne s'agit évidemment de transiger ni sur la vision ni sur la qualité de l'exécution. Cependant, quatre points qui concernent directement le comportement du dirigeant peuvent faire la différence, dès lors qu'il s'agit de susciter et favoriser les apprentissages multiples à travers toute l'organisation.

- Je saisis toutes les occasions de communiquer le cap en interne comme en externe et de montrer les moyens que l'organisation se donne pour l'atteindre.
- J'apprends et je montre que j'apprends.
- Je fais grandir mon équipe de direction.
- Je crée les conditions organisationnelles et managériales de la confiance.

Je communique le cap et je montre les moyens mis en œuvre pour l'atteindre

Pour engager et soutenir une transformation profonde sur moyenne à longue durée, le dirigeant doit saisir chaque occasion pour rappeler la vision qui sous-tend la transformation. Ce rappel permanent du cap à tenir fait partie de la pédagogie de l'action à grande échelle. Il ne s'agit pas seulement d'établir la vision, mais de montrer de façon répétée la cohérence de l'ensemble des moyens qui sont mis en œuvre par l'entreprise au service de cette vision : moyens humains, technologiques, organisationnels, actions stratégiques, rachats, etc. C'est cette communication *par la preuve*, répétée dans le temps, qui finira par entraîner à l'action même les plus réticents. On pourrait presque parler d'une équation : Vision + Moyens = Conviction.

À l'inverse, rien de pire qu'une communication sur un changement de vision que ne viendrait soutenir aucune décision d'envergure, que ne viendrait appuyer aucune action stratégique visible, alors même que le changement est évoqué à tout bout de champ.

Il nous semble que les communications déployées par Jean-Paul Agon, P-DG de L'Oréal, et Alexandre Bompard, P-DG de Carrefour, sont exemplaires par leur cohérence et leur persistance.

BeautyTech : la vision et la preuve

Sous l'impulsion de son P-DG, Jean-Paul Agon, L'Oréal entame sa transformation numérique en 2010 d'une manière informelle et intuitive. Alors que le e-commerce et les réseaux sociaux bouleversent la relation des consommateurs avec les marques, L'Oréal comprend vite que le digital n'est pas une activité à côté du business, mais qu'il va transformer en profondeur le business de la beauté. En 2014, le P-DG nomme une *Chief Digital Officer* et la fait entrer immédiatement au Comex, afin de marquer l'importance qu'il entend accorder à la stratégie digitale au sein du groupe. Pour Jean-Paul Agon, « *le e-commerce ce n'est pas la cerise sur le gâteau, c'est le gâteau ! C'est le nouveau gâteau.* » Ce moment marque le point de départ d'une transformation qui va concerner tous les secteurs de l'entreprise et tous les pays, et qui sera progressivement dévoilée sous l'expression fédératrice de « BeautyTech ».

Le premier axe de la stratégie digitale va concerner évidemment le marketing digital et la e-distribution. « *J'ai 40 ans de L'Oréal dans les jambes et je peux affirmer que le métier a 10 fois plus changé dans les 4 dernières années que dans les 36 années précédentes* » indique Jean-Paul Agon en 2018. Environ la moitié des dépenses médias du groupe sont progressivement réorientées sur le digital. La relation client s'en trouve considérablement modifiée et L'Oréal progresse dans la connaissance de ses clients. Auparavant, le contact client était géré par les distributeurs et revendeurs. Désormais, grâce à ses sites web, ses contenus et ses influenceurs, le groupe peut collecter directement des informations relatives à ses clients et adopter un marketing de précision avec des messages personnalisés, à partir des contextes et parcours différenciés des consommateurs. L'Oréal peut désormais personnaliser sa publicité, ses e-mails, les pages d'accueil de ses sites Internet, ce qui accroît considérablement le niveau d'adhésion des consommateurs aux marques du groupe. Le marketing de précision implique de mettre en place des stratégies de contenus et de services.

Le deuxième axe qui découle du premier consiste à mettre l'accent sur les compétences. On sent bien intuitivement qu'à ces nouveaux outils et techniques vont correspondre une adaptation des métiers, mais aussi l'intégration de nombreuses compétences qui n'existaient pas auparavant, autour du big data, du marketing digital, de la production de contenus et des systèmes d'information. Depuis 2014, L'Oréal a formé plus de 20 000 collaborateurs et en a recruté plus de 2 000 autres (tous experts en digital, venant de l'extérieur). Pour tous les nouveaux recrutements, L'Oréal a institué un examen digital très complet. Ce test a été baptisé DM-ONE, « Digital Marketing One ». Cette intégration de compétences implique aussi des réorganisations fonctionnelles au sein des équipes.

Enfin, la personnalisation du marketing va se répercuter progressivement sur la personnalisation des produits eux-mêmes, à travers le concept de « sur-mesure », devenu possible grâce à l'intégration de big data et d'intelligence artificielle. Si les séries à produire deviennent plus courtes, alors il devient aussi nécessaire de digitaliser davantage les usines pour améliorer leurs performances en matière de gestion des stocks, d'information en temps réel, grâce également aux solutions liées à l'Internet des objets (IoT).

Pour faire advenir ces innovations, L'Oréal anime tout un écosystème de start-up, afin de les détecter, de les amorcer ou de les accélérer, et participe aux grandes manifestations internationales du numérique comme le CES à Las Vegas ou Vivatech.

À des moments stratégiques, le P-DG, la CDO ou d'autres collaborateurs stratégiques communiquent activement sur des points-clés de la transformation. Par exemple, à l'occasion de l'introduction de l'algorithme *Deep Vision* présent sur tous les ordinateurs des équipes marketing du groupe. Développé en interne, il est capable de lire, analyser et classer les photos Instagram en quatre catégories : soin de la peau, coloration, yeux et lèvres. Cela permet aux équipes de repérer en avance de phase de nouvelles tendances « beauté ». Par exemple, lors de la création de sept « 3DLab », équipés en imprimantes 3D, qui ont pour mission de créer, penser et designer les nouveaux packagings du groupe. En utilisant la réalité virtuelle, il est possible de simuler la prise en main des produits, et ainsi d'optimiser le packaging et l'emplacement des étiquettes. Ou encore lors du rachat en 2018 de ModiFace, une start-up canadienne, pionnière de la réalité augmentée. Des applications de tests virtuels de coloration, de maquillage mais aussi de diagnostics de peau, à partir d'un selfie pris sur smartphone, sont lancées grâce à cette acquisition.

Cet ensemble d'annonces séquencées dans le temps est destiné à marquer les esprits en externe, mais aussi à susciter de la fierté parmi les collaborateurs et à stimuler chacun à se montrer à la hauteur des investissements consentis pour une révolution durable du groupe.

Sources : D'après https://www.loreal.fr/groupe/loreal-et-la-beautytech ; https://www.lesechos-digital.fr/29/club-les-echos-digital-avec-jean-paul-agon-et-lubomira-rochet ; http://www.mbadmb.com/loreal-la-transformation-du-leader-mondial-de-la-cosmetique-en-pionnier-de-la-beautytech/. Consultés le 18 mai 2020.

L'articulation *Act for Food – Act for Change* chez Carrefour

Depuis janvier 2018, le plan Carrefour 2022, dévoilé par son P-DG Alexandre Bompard, porte l'ambition de mettre le bien-manger – sain, frais, bio et de proximité – à la portée de tous les consommateurs. Ce sera « *Act for food* », communiqué très largement, qui est à la fois une charte d'engagement à l'égard des consommateurs et un plan stratégique pour la mobilisation de toutes les forces vives du groupe. Confronté à des changements dans les modes de consommation et dans les exigences clients, et face à la montée du e-commerce alimentaire, le leader français de la distribution a placé au cœur de son modèle la transition alimentaire pour tous, avec une exigence de quantification et de vérification des indicateurs RSE.

Le plan repose sur quatre piliers :

1. Simplifier l'organisation pour la rendre agile.
2. Gagner en productivité et en compétitivité.
3. Développer un univers omnicanal, en rapprochant les magasins du e-commerce.
4. Refondre l'offre alimentaire dans un souci de qualité et de juste prix.

Pour préparer le futur de la distribution alimentaire, Carrefour travaille simultanément sur les formats de magasins, le e-commerce, les drives, la livraison à domicile, le système logistique, les sources d'approvisionnement (filières bio) et la traçabilité des produits, la réduction des coûts de gestion, etc.

Une telle ambition nécessite de mobiliser en profondeur les 320 000 collaborateurs du groupe dans 30 pays, de les acculturer à la transformation digitale, de modifier les pratiques de travail, d'acquérir de nouveaux réflexes par rapport au contenu et à la présentation de l'offre, de porter une attention particulière à la satisfaction du client.

Ce programme d'*upskilling* interne à grande échelle s'appelle « *Act for change* », et comprend quatre axes :

1. L'accent mis sur la diversité des profils, la promotion interne (ascensionnelle et transversale) et le jeu collectif.
2. La formation sur les sujets liés à la transition alimentaire : filière qualité Carrefour, bio, connaissance des produits frais et hygiène.
3. La simplification des façons de travailler, d'échanger et de décider (boucles courtes, écoute des collaborateurs, temps d'échange, *test-and-learn*, etc.) impliquant de travailler sur les structures, les modes et les canaux de communication.

4. Le souci de la satisfaction du client avec des améliorations simples et rapides.

Sources : https://www.carrefour.com/fr/groupe/strategie https://www.carrefour.com/fr/rh/act-for-change *et Les Échos*, « Alexandre Bompard : "Carrefour se projette dans une dynamique de reconquête" », 27 février 2020. Consultés le 24 mai 2020.

J'apprends et je montre que j'apprends

Dire « je ne sais pas » semble être l'antithèse de ce sur quoi un dirigeant est attendu. S'il est à ce niveau de responsabilité, c'est parce qu'il sait ce qu'il faut faire et qu'il a su par le passé s'illustrer par de « bonnes » décisions. Le savoir est perçu comme consubstantiel à la fonction de dirigeant. Pourtant, ce n'est pas le savoir *a priori* qui caractérise la fonction, mais bien plutôt la capacité à décider. Si le dirigeant a souvent – et c'est heureux – une idée très claire du cap qu'il se donne – « je sais où je veux aller » – la façon d'y aller est souvent beaucoup plus ouverte. Le « je ne sais pas » peut trouver là un terrain d'application fertile, en acceptant une certaine dose d'indétermination dans le processus, en s'ouvrant assez largement à la consultation, en acceptant aussi les erreurs et les échecs qui balisent le processus (le « *test and learn* » du dirigeant).

Une autre façon pour le dirigeant de montrer qu'il est ouvert aux apprentissages est l'usage qu'il fait du « je ne comprends pas ». Il existe en fait deux façons d'utiliser le « je ne comprends pas » dont les effets seront radicalement différents sur les équipes. Il y a le « je ne comprends pas » cassant qui tombe et donne des sueurs froides aux collaborateurs qui viennent de parler : cela veut dire qu'ils n'ont pas été clairs dans leur exposé, que leur pensée est confuse, leurs arguments verbeux, faibles ou mal documentés, bref qu'ils sont à côté de la plaque, voire incompétents. Et il y a le « je ne comprends pas » bienveillant qui marque l'intérêt, témoigne d'une écoute attentive, voire passionnée, et veille à creuser pensée et arguments pour que la décision soit documentée de la meilleure façon possible. « Entre ces produits, expliquez-moi la différence », « je ne comprends toujours pas la différence entre ces outils », « pouvez-vous m'expliquer comme vous l'expliqueriez à vos enfants ? » sont autant de formules qui permettent aux collaborateurs de respirer, d'être eux-mêmes transparents sur ce qu'ils ne savent pas et de ne pas le cacher. La nuance est parfois subtile entre la critique voilée et la manifestation d'une sincère curiosité et intérêt, mais c'est dans cette subtilité que se nichera l'impulsion vers les apprentissages. Manifestation d'intérêt et curiosité, plutôt que règne de la terreur, amèneront les collaborateurs à davantage de sincérité et de transparence sur l'état de leur réflexion, leurs certitudes comme leurs doutes, et les motiveront pour affûter leurs arguments.

La posture du dirigeant est extraordinairement contagieuse dans une entreprise. Si le dirigeant répugne à avouer son ignorance, ses collaborateurs l'imiteront. Si, en revanche, il manifeste son goût pour l'exploration, est capable de partager ses doutes, alors il enclenche chez les collaborateurs des comportements mimétiques favorables à l'apprentissage collectif.

Dans une organisation, les comportements du chef sont scrutés, analysés et copiés en permanence. Les grands dirigeants le savent et utilisent l'exemplarité pour faire passer l'essentiel des messages. C'est pourquoi il peut être très utile pour un dirigeant de « mettre en scène » ses propres apprentissages. Si un dirigeant montre, par exemple, qu'il apprend lui-même à coder, comme ce fut le cas de Frédéric Oudéa, patron de la Société Générale, cela envoie un message très puissant à l'ensemble de l'organisation, autant qu'aux dirigeants du secteur, sur l'importance donnée à la transformation digitale. Si l'on sait qu'un dirigeant se fait lui-même coacher, les managers auront moins de réserves face au coaching.

« Le grand patron s'est formé ! » est un message qui va beaucoup plus loin que d'ouvrir un programme de formation par une simple capsule vidéo du big boss affirmant l'importance de cette formation.

Qu'il participe au programme de formation sera évidemment un signal très remarqué et suivi, même si chacun aura conscience que « ça fait aussi partie de la com' ».

Cherchez l'erreur : pourquoi on n'apprend pas vite dans ces entreprises

À l'occasion du séminaire du « top 100 » – les 100 managers de haut niveau – de cette entreprise industrielle mondialisée, un participant pose une question précise sur un point sensible de la stratégie, après l'intervention du président. Il se fait couper la parole par le président : « *Aux Arts et Métiers, je croyais qu'on vous apprenait à raisonner… Votre question montre qu'il faut que je monte mon niveau d'exigence dans la sélection des cadres dirigeants de cette entreprise.* » On imagine que les questions suivantes ont été peu nombreuses…

Dans le comité de direction de cette entreprise issue du secteur public, il y a ceux qui se tutoient – car ils appartiennent au corps des Mines – et les autres. Bien sûr, le P-DG lui-même est issu du corps des Mines. Il va de soi que l'intervention d'un collègue du corps bénéficie d'un préjugé favorable par rapport à celle d'un autre intervenant qui n'en provient pas.

Je fais grandir mon équipe de direction

Une entreprise qui apprend vite va de pair avec un ou des comités de direction efficaces dans leurs apprentissages, capables de tirer parti des signaux faibles, de faire évoluer leurs pratiques, de prendre des décisions qui sortent des sentiers battus ou des routines managériales.

La diversité dans la composition des comités de direction est aujourd'hui reconnue comme un ingrédient de premier ordre pour la qualité des décisions. *A contrario*, nombreuses sont les histoires de

« plantage » liées à la trop grande assurance d'équipes de direction très homogènes dans leur composition.

Pour apprendre en « double boucle » (voir chapitre 2), il faut que les points de vue se confrontent dans leur diversité (voir aussi Règle n° 6). Un dirigeant d'un grand groupe mondialisé de culture française expliquait le souffle et le dynamisme de son comité de direction par la diversité des origines et des parcours de ses membres : diversité de genre mais aussi d'ancrage dans les cultures mondiales et dans les carrières menées dans d'autres entreprises. En quelques années, le comité de direction a été profondément renouvelé et son fonctionnement considérablement modifié.

Auparavant, ce comité de direction était très homogène, composé exclusivement d'hommes, de culture européenne et surtout française, ayant tous gravi les échelons au sein de l'entreprise qu'ils connaissaient parfaitement : on s'y comprenait à demi-mot, on partageait les mêmes raisonnements, on avait souvent le même point de vue sur les collaborateurs. Cela permettait de prendre des décisions rapides, avec un fort niveau de convergence – sauf quand les questions d'ego passaient au premier plan –, mais ces décisions étaient parfois mauvaises du fait d'un manque de contradiction entre les membres. Aujourd'hui, le comité de direction reflète la diversité du groupe et de son environnement : les différences de culture nécessitent l'explicitation des points de vue, les convergences ne vont plus de soi. La prise de décision peut être plus longue, mais elle intègre cette diversité qui en assure la robustesse. Un tel comité de direction sera évidemment beaucoup moins confortable pour le directeur général qui l'anime. Maria, Brésilienne qui n'a pas sa langue dans la poche, dira sans honte aucune « je ne comprends pas », et obligera ses interlocuteurs à reprendre la logique de leur discours sous un autre angle – en les incitant, par cette interrogation, à dépasser les failles de leur pédagogie. Huao, Chinois, sera suffisamment à l'aise pour exprimer une intuition issue de l'analyse du marché mais aussi de son parcours personnel différent. L'animation devient autrement plus dynamique que le déroulé minuté que connaissent trop de comités de direction de grande entreprise, faisant jouer à chacun une partition bien définie et évitant toute remise en cause des prés carrés.

Plus encore peut-être qu'aux autres niveaux de l'entreprise, les rituels du comité de direction (voir Règle d'or n° 4) sont déterminants pour permettre un apprentissage rapide ou pour l'empêcher. Un ordre du jour surchargé, des dossiers préparatoires trop copieux, des échanges convenus entre participants qui se ménagent les uns les autres, et un mot de la fin toujours donné au patron, quel que soit le sujet, sont sclérosants. Ce n'est pas ainsi qu'on pivote, qu'on change de point de vue et qu'on apprend vite. À l'inverse, les entreprises qui ont intégré des pratiques d'apprentissage en comité de direction ne reviendront pas en arrière, car ces pratiques touchent à l'ouverture vers d'autres univers et d'autres modes de raisonnement.

Pour construire ces modes de fonctionnement différents, on pourra recourir à des « *learning expeditions* » pour autant qu'elles réunissent quelques ingrédients d'efficacité : d'abord, bien identifier la ou les questions qui seront abordées à l'occasion du voyage – réduire le temps de développement des produits, fonctionner de manière « coopétitive » avec les concurrents, réduire / augmenter de manière drastique les coûts de personnel… –, puis capitaliser sur la force de l'expérience vécue lors du voyage qui ira au-delà de la seule écoute de conférenciers de qualité ou de visites intéressantes, et enfin atterrir vers des enseignements concrets pour l'entreprise.

Certaines équipes de direction laissent des temps de figures libres à un membre de l'équipe pour apporter une idée nouvelle ou une contradiction. Certains partagent les enseignements d'une lecture ou d'un séminaire, d'autres, une intuition.

Demander à une équipe de collaborateurs à potentiel de présenter des propositions de rupture devant le comité de direction est aussi un « classique » qui a montré son efficacité, *a fortiori* quand on en fait le point d'orgue de séminaires ou de formation pour les leaders de demain.

La pédagogie du dirigeant est essentielle pour conduire ces évolutions : il lui appartient de décrire non seulement le pourquoi – la vision, l'orientation – mais aussi le quoi et le comment – comment lui-même va s'y prendre pour faire converger les parties prenantes, pour négocier avec les pouvoirs publics, etc.

Je crée les conditions organisationnelles et managériales de la confiance

Définir des règles du jeu explicites et les faire respecter

Pour le dirigeant, l'explicitation du modèle d'organisation et de fonctionnement est essentielle : ce sont les nouvelles règles du jeu qui vont permettre d'accélérer l'adoption des nouveaux comportements attendus.

On ne coupe pas à la construction et à la diffusion des règles du jeu qui orientent la manière dont chacun doit désormais travailler au sein de l'entreprise – ce sont, par exemple, les huit principes « *Simplicity* » de L'Oréal qui, issus d'une vaste démarche participative associant les équipes du monde entier, définissent les modes de travail qui s'imposent à tous – du président aux opérateurs de production en passant par les commerciaux (voir Règle d'or n° 2).

Force est cependant de constater que ces règles du jeu sont souvent regardées avec ironie ou scepticisme par les équipes qui y voient principalement un exercice de communication déconnecté de la réalité des pratiques : « Oui, ce serait bien, mais, dans la vraie vie, vous savez bien que ce n'est pas ainsi que ça se passe. »

Le rôle du dirigeant est alors majeur pour passer de la communication à la réalité. Il peut le faire par la parole, en racontant l'histoire des pratiques managériales et les raisons des évolutions. Entendre le dirigeant raconter cette histoire est souvent très éclairant pour les équipes qui peuvent ainsi plus facilement mettre en perspective les décisions prises par rapport aux règles affichées, et les inscrire dans la dynamique de l'histoire managériale de l'entreprise.

Il peut aussi faire advenir la réalité, en faisant respecter strictement les nouvelles règles du jeu. Rien de tel pour convaincre que la sanction d'un cadre dirigeant qui ne respecterait pas les règles, aussi bons soient ses résultats économiques par ailleurs. Et toujours, bien entendu, en se montrant lui-même exemplaire à l'égard des nouveaux comportements énoncés et attendus.

Comment faire basculer toute l'organisation dans un nouveau système de pilotage ?

Cette entreprise mondialisée rencontrait toutes sortes de difficultés et de «résistances au changement» dans l'adoption d'un nouveau système de pilotage de la performance appuyé sur un ERP de référence. Pourtant, tous les collaborateurs concernés avaient suivi une formation bien conçue, et le système lui-même fonctionnait sans bug, avec une vraie réussite technique. Mais sur le terrain, refus de mise en pratique : les différents patrons de divisions décriaient le nouveau système comme trop simpliste selon eux pour permettre le pilotage de précision qui leur était nécessaire : ils continuaient à utiliser leur bon vieux reporting sous Excel.

Jusqu'au jour où le P-DG a tout simplement décidé de refuser toute présentation dont les analyses et les résultats auraient été opérés hors du nouveau système qu'il avait lui-même appris à utiliser. Après trois réunions interrompues parce que les interlocuteurs avaient mobilisé des chiffres «personnels», non fournis par le nouveau système, le message a été reçu 5 sur 5.

Pour un modèle organisationnel favorisant la confiance et la coopération

Nous l'avons vu, les dirigeants se focalisent souvent sur le design organisationnel (voir Règle d'or n° 8), car il permet de conférer logique et lisibilité à la structure pour les parties prenantes internes et externes. Ces organigrammes et structures formalisées peuvent ou non favoriser la dimension coopérative attendue.

Mais c'est surtout dans sa pratique quotidienne que le dirigeant pourra ou non favoriser les pratiques coopératives : en refusant par exemple d'arbitrer les combats d'ego et en renvoyant à l'exigence de solutions coopératives ; en favorisant la montée en autonomie des collaborateurs ; en questionnant, lors de chaque visite sur le terrain, les opérateurs sur la manière dont leurs idées peuvent s'exprimer et si elles sont écoutées, etc.

Et maintenant, ACTION !

Comex

- Communiquer fréquemment sur la *learning company* et ses différentes dimensions : profils de compétences nécessaires, dynamique d'apprentissage personnel à porter par chacun, place centrale de la mobilité…
- Imposer la constitution d'un Comex brassant largement les origines, les cultures, les métiers et les genres.
- Faire connaître largement les attendus managériaux nécessaires à l'apprentissage dans l'entreprise – de la diversité au rôle du manager – et ne pas hésiter à sanctionner s'ils ne sont pas respectés.

Règle d'or n° 10

Piloter un projet d'apprentissage rapide et à grande échelle : le *shaker* des 9 règles

Apprendre vite, « à l'échelle », ne demande pas seulement de suivre les 9 règles d'or développées dans les pages précédentes… Il s'agit aussi de conduire ces projets particuliers qui vont permettre les apprentissages collectifs. C'est l'objet de cette dixième « règle » qui se présente comme une synthèse permettant au pilote du projet de garder un œil sur les paramètres fondamentaux.

Par quoi commencer ?

Considérons que les bases sont posées : la direction générale est convaincue, les résultats attendus ont été définis aussi bien d'un point de vue économique que d'un point de vue d'évolutions des pratiques ; on a identifié des cas d'usage qui permettent de concrétiser ce qu'on veut atteindre au sein des équipes, sur le terrain, le « *what's in it for me* » est appétissant aussi bien pour les collaborateurs que pour le management, les structures projet ont été définies à bon niveau… Très bien, mais par quoi commencer ?

Certaines entreprises adoptent une démarche organisée, logique, méthodique, partant du « haut » : implication forte du dirigeant, relais appuyé du comité exécutif, mobilisation du management via des temps d'explication, de séminaires, des formations-action de type *bootcamp*, suivi régulier par un comité de pilotage *ad hoc*, communication multimodale auprès des équipes pour illustrer les avancées, communication des résultats, partage des *quick wins* et autres belles histoires…

D'autres préfèrent « mettre le paquet » sur une entité emblématique et lui faire réussir la mutation avant de communiquer sur cette réussite et de déployer à grande échelle dans toute l'entreprise.

On rencontre aussi l'option qui s'appuie initialement sur la diffusion des méthodes agiles, incitant ainsi toute l'entreprise à faire bouger ses pratiques d'équipe, au niveau « micro ». Dans ces cas, on joue une mobilisation à grande échelle « par le bas », et on en tire les enseignements avant de généraliser ces modes de fonctionnement à d'autres sujets et pour toute l'entreprise.

Chacune de ces approches peut donner les meilleurs résultats si elle est contextualisée, en résonance avec les enjeux stratégiques et la culture de l'entreprise. Dans tous les cas, quatre points sont essentiels pour réussir ces projets d'apprentissage rapide et à grande échelle.

Jouer la dynamique des ambassadeurs et autres relais de l'apprentissage

La règle n° 5 a permis de développer amplement les enjeux et modalités du coaching comme pratique essentielle pour changer les réflexes et construire de nouvelles routines de travail. « Coaching à tous les étages » : il concerne en effet les managers dont on cherche à faire évoluer la posture, les équipiers qui prennent le relais et permettront d'accélérer la dynamique impulsée, le coaching « organisationnel » dans sa dimension collective et de transformation des processus. Sans oublier les membres du comité exécutif et les managers des plus hauts niveaux, dont l'implication et l'exemplarité dans la pédagogie et le relais des pratiques auront un impact fort, en complément des autres ambassadeurs sur le terrain.

Concernant les ambassadeurs et relais de changement, trois points sont à garder à l'esprit. Il sera préférable de choisir des professionnels reconnus par leurs pairs, et l'on préférera un professionnel critique à un jeune embauché positif mais naïf, ou encore à un collaborateur trop disponible, considéré comme moyennement compétent et fiable par ses collègues. Point capital, il est nécessaire de « contractualiser » avec le management de ces ambassadeurs, afin de garantir leur disponibilité pour un temps limité, à temps partiel le cas échéant, et éviter les conflits de priorités avec leur activité opérationnelle habituelle. Enfin, on mettra en place une dynamique d'animation leur permettant de développer des compétences spécifiques à leur domaine, afin d'asseoir et renforcer leur légitimité, d'être pleinement reconnus au sein de l'entreprise, de faire de leur passage à cette fonction un accélérateur de notoriété professionnelle et une ouverture vers d'autres acteurs et d'autres perspectives de carrière.

Digital accelerators, ninjas, coachs projets, ambassadeurs : à chacun sa formule

Cette entreprise dans le domaine des nouvelles technologies, avec une moyenne d'âge inférieure à trente ans, a choisi d'appeler « Ninjas » les équipiers en charge de généraliser les méthodes agiles dans l'entreprise.

Une autre entreprise, voulant améliorer la maîtrise du numérique dans toutes les pratiques professionnelles, a préféré former des « *digital accelerators* », avec séminaire de constitution d'équipe résolument tourné sur les meilleures expertises de la firme, pour leur donner un coup d'avance.

Cette entreprise issue du secteur public a nommé des « ambassadeurs », en apportant une grande vigilance à la crédibilité de leur statut vis-à-vis de leurs collègues et à la bonne communication avec les partenaires sociaux.

Ici c'est « la communauté des certifiés », qui partagent une certification professionnelle accordée par un organisme extérieur, leur permettant de valoriser leur compétence dans l'entreprise et éventuellement dans un parcours ultérieur.

Dans tous les cas, une grande importance est donnée au choix de ces ambassadeurs et à l'animation de leur fonctionnement collectif.

Mobiliser à bon escient la dimension technologique de l'*upskilling*

Pas un projet de transformation des pratiques professionnelles sans innovation numérique ! Encore faut-il la mobiliser autant dans l'expérience concrète vécue par les collaborateurs que dans la transformation des infrastructures, des processus de travail et de la plus-value apportée au client…

C'est dans la pédagogie et le partage d'expériences que la palette désormais disponible des outils et pratiques numériques est immense et produit beaucoup d'impact : webinaires permettant de mobiliser facilement le témoignage des dirigeants souvent réticents à se joindre à une formation ou à un séminaire ; applications apportant chaque jour ou chaque semaine quelques minutes de bonnes pratiques ou de « trucs et astuces » ; et puissance des dispositifs d'e-learning qui offrent de la souplesse dans les temps de consultation et de la diversité dans la pédagogie.

C'est aussi, et surtout, dans les nouvelles pratiques professionnelles et dans les bénéfices ressentis par les clients que se joue la réussite de l'apprentissage : le fun de la nouvelle expérience et l'effet « waouh » qu'elle produit font souvent plus pour l'appropriation que toute la communication sur la nécessité de changer portée par la direction générale.

Le projet *Your Tomorrow* de PwC

Le groupe mondial d'audit et de conseil a engagé un programme d'envergure pour accélérer sa transformation numérique – plus précisément, pour tirer pleinement parti de la mobilisation des technologies de la data, depuis la visualisation des données en passant par l'impact sur le travail de l'intelligence artificielle...

Pour développer les compétences liées à l'usage de la data, l'investissement de PwC est de l'ordre de 3 milliards de dollars dans le monde sur une période de 4 ans. Pour PwC France et Afrique francophone, la démarche touche directement tous les collaborateurs avec l'objectif d'imaginer et de développer des cas d'usages de la data dans les métiers opérationnels et sur les bénéfices apportés aux clients.

Parmi les leviers mobilisés, on mettra en évidence la montée de la *Digital Academy*, ouverte à tous les équipiers, à tous les niveaux et pour tous les métiers, permettant de travailler sur des cas d'usage ; la mise en place d'une app mobile PwC *Digital Fitness* qui individualise le programme d'apprentissage ; une gamification continue de l'apprentissage (quiz, challenges, hackathons, etc.), en phase avec une moyenne d'âge inférieure à trente ans ; la constitution d'un réseau d'ambassadeurs du digital ; la mise en place d'un *reverse mentoring* pour accompagner les associés de la firme dans leur progression personnelle.

L'impact du programme se traduit par le test immédiat des cas d'usage, c'est-à-dire de situations professionnelles concrètes mobilisant la data, par leur mise en pratique immédiate chez les clients, et l'organisation de retours d'expérience et de partage avec les collègues.

La réussite du programme tient à la démarche d'ensemble engagée autour du triptyque suivant. Premièrement, une démarche stratégique organisée autour de la transformation des métiers, de l'organisation de nouveaux partenariats et de la redéfinition de la plus-value apportée aux clients. Deuxièmement, un investissement en infrastructures avec des réalisations essentielles comme un *data lake* mondial, un *digital lab*, une *RPA factory*[1] ; et enfin, l'investissement massif sur l'*upkilling* des collaborateurs, allant de pair avec le développement de nouvelles formes de travail et l'accompagnement des motivations des salariés.

Assurer une ingénierie pédagogique d'excellence

On l'a dit, la formation de type classique n'est pas suffisante pour concevoir un apprentissage à l'échelle. Elle reste pourtant nécessaire, ancrée dans une culture du « *learning* », et dans un contexte où l'apprentissage en situation et en continu permet de rendre le terme d'apprentissage moins connoté « salle de classe ».

Face à la rapidité de l'évolution des ressources pédagogiques mobilisables en entreprise, aux avancées apportées aussi bien par les sciences cognitives que par la montée en gamme et en facilité des technologies numériques, on constate encore un manque d'investissement certain dans l'ingénierie pédagogique. Trop de transformations d'envergure achoppent encore sur des moments de formation mal conçus, avec une pédagogie approximative et une profusion de présentations PowerPoint.

L'excellence dans l'ingénierie pédagogique n'est pas une option, elle est indispensable. Elle doit permettre de répondre à des questions

1. *Robotic Process Automation* : cette technologie désigne les plateformes d'automatisation des processus robotisés, reposant sur des solutions logicielles qui permettent progressivement d'automatiser des tâches de plus en plus complexes grâce à un système de *machine learning*.

précises, telles que « quels sont les résultats attendus à l'issue des formations ? que devra être capable de faire le participant ? », « comment pourra-t-on le mesurer, tout de suite, dans quelques jours ou quelques semaines ? », « quelle stratégie pédagogique ? quel mix envisager entre les différentes formes de formations distantes ou présentielles ? »

Elle se traduit par la mobilisation de professionnels, voire de chercheurs quand cela est pertinent, dans la conception des programmes. Si certaines grandes entreprises de référence ont constitué des équipes de professionnels de haut niveau dans l'ingénierie de formation, ce n'est pas une réalité générale – et surtout ces professionnels de l'ingénierie pédagogique ne sont pas toujours bien mobilisés dans les grands programmes de transformation qui, trop souvent, intègrent la formation comme une « cerise sur le gâteau », composante à ajouter en bout de course au projet, en fin d'exercice et à budget limité.

Non ! Il faut impérativement donner une place de premier niveau à l'expertise pédagogique dans la conception et l'animation de la formation dans le cadre des projets de transformation d'envergure.

Contre toute attente : l'apprentissage collectif des bureaux de poste.

L'hygiaphone comme mode de communication avec les usagers et la vue sur la file d'attente… Il faut se replonger dans les films des années 1960 pour se rappeler ce qu'était la réalité de l'accueil à la Poste il y a encore dix ans…

Aujourd'hui, c'est une organisation spatiale ouverte, avec des collaborateurs allant au-devant des clients – il ne s'agit plus d'usagers – et facilitant leur vie multicanal… La transformation des bureaux de poste a été une étape importante dans la transformation de l'entreprise elle-même, et a montré que la relation client / l'esprit de service pouvaient s'imposer comme modèle de management pour une entreprise publique.

Il s'agit d'un apprentissage collectif de grande envergure touchant plus de 50 000 collaborateurs dans un délai court, mené d'abord de manière expérimentale dans 40 bureaux de poste sensibles, pour l'essentiel en région parisienne, puis étendu à tout le territoire national.

Premier ingrédient: l'intérêt à agir des équipes sur le terrain – guichetiers en premier lieu – qui avaient la vie difficile face aux incivilités des usagers eux-mêmes excédés par les temps d'attente et le manque de personnalisation de la relation. C'est d'ailleurs la satisfaction des postiers des bureaux tests, constatant, preuves à l'appui, la baisse des incivilités, qui a incité les organisations syndicales sinon à soutenir le projet dans toutes ses composantes, tout au moins à lui permettre d'avancer dans son déploiement.

Deuxième ingrédient: la construction collective des standards de service appliqués sur le terrain, faite à l'occasion de l'expérimentation: comment assurer l'accueil du client, quel accompagnement lui proposer dans son cheminement dans l'espace, quel type d'assistance lui fournir avec les automates, comment anticiper les attentes particulières des clients selon leur sociologie / typologie... Autant d'éléments définis à l'occasion de la phase d'expérimentation par les professionnels eux-mêmes.

Ces standards de service sont allés de pair avec des dispositifs d'évaluation permettant à chaque équipe d'en analyser l'atteinte. Parmi ces éléments, les « visites mystère » – 60 000 ont été menées en 2011 pour mesurer la tenue des standards dans les 2 000 bureaux de poste les plus importants. Il s'agit ici d'un élément compliqué dans une culture française qui voit vite l'évaluation comme une notation risquant d'être prise en compte par la hiérarchie. L'entreprise a dû apporter sur ce point des preuves de sa bonne foi, notamment la possibilité donnée au chef d'établissement de rejeter le retour d'une visite mystère s'il la considérait comme inappropriée, par exemple pour une raison de calendrier, sans devoir s'en justifier.

Quatrième ingrédient: l'apport du regard des pairs – La Poste n'avait pas spécifiquement utilisé le terme de coaching pour cette initiative. Concrètement le responsable du bureau de poste d'Asnières prend le temps de visiter le bureau de poste de Levallois-Perret, et celui-ci lui rend la politesse. Avec le partage des difficultés – ici, je n'y arrive pas, j'ai des difficultés avec les SI, j'ai un équipier qui a du mal à suivre –, l'oreille bienveillante fournie par le collègue et parfois les bonnes idées. Mais aussi mise à disposition d'un réseau de conseillers techniques consacrés à la transformation des bureaux de poste dans chaque région – des postiers de terrain au service de leurs collègues pour les appuyer dans l'évolution de leurs pratiques ; et la disponibilité des bureaux de poste expérimentateurs pour leurs collègues. Ce soutien des pairs a été majeur pour faciliter la maîtrise des nouveaux outils et des nouvelles technologies – plus que les séances de formation, c'est l'essai erreur et le conseil des collègues qui a fait la différence.

Dans chaque bureau, la mise en place d'une routine hebdomadaire d'apprentissage est par ailleurs considérée comme indispensable par l'équipe : en temps court, réunion debout – on n'a pas le temps de se voir autrement d'ailleurs –, on regarde en quoi on a progressé, les réussites de la semaine, les difficultés rencontrées et comment ensemble les traiter.

Ingrédient essentiel : l'apprentissage ne se produit pas seulement au niveau du bureau de poste, mais aussi et autant au niveau supérieur. Concrètement, un point spécifique fait à la semaine en conseil de direction régional, avec écoute des remontées du terrain et traitement rapide des difficultés rencontrées – de la mise à disposition des moyens de communication / de signalétique, au renfort de personnels pour les bureaux qui en ont besoin, et bien sûr aux questions posées par les systèmes d'information jamais pleinement à l'heure dans ces transformations. Et si on n'a pas la réponse, ou si elle arrivera plus tard, on partage l'information avec les équipes de terrain, qui constatent ainsi que leurs préoccupations remontent même si elles ne trouvent pas une solution immédiate.

Le projet fonctionne aussi parce que le Président de l'entreprise publique s'engage – le projet n'est pas noyé parmi cent autres projets tout aussi prioritaires –, parce que le directeur qualité en charge de l'opération s'y consacre corps et âme, que ce service client, auparavant symptomatique des blocages de l'entreprise, devient le symbole de l'entreprise et de sa transformation…

La fierté collective a porté par ailleurs la réussite du dispositif. Fierté vécue, notamment, par l'obtention d'une certification « AFNOR Engagements de service » pour plus de 1 000 bureaux de poste ; fierté via le changement de regard des clients, relayé par la presse, valorisé par le management de l'entreprise, Président en tête. Fierté collective dans les équipes de montrer la différence entre l'avant et l'après de leur bureau de poste.

Source : Conversation avec les auteurs et Xavier Quérat-Hément (2014)

Du rythme et de la rapidité

Aller vite n'a pas la même signification dans toutes les entreprises – quand certaines raisonnent en semaines, d'autres pensent en semestres, en fonction de contraintes industrielles ou de sociologie des équipes…

Mais dans tous les cas, aller vite est indispensable pour réussir la transformation des pratiques professionnelles de l'entreprise. Il est, en effet, nécessaire d'atteindre une masse critique d'adoption des nouvelles pratiques, qui permette une bascule ressentie par tous dans un nouveau modèle d'action. Il faut que l'ancrage des pratiques soit suffisant pour empêcher la dilution ou le retour en arrière.

Vite ? Cela signifie aller deux, trois ou quatre fois plus vite que ce qu'on aurait fait en temps normal, en tenant compte de toutes les demandes et objections des équipes en place. Pour obtenir un changement des pratiques qui vise la montée en compétences, il faudra bousculer l'ordre des priorités des projets, ainsi que les innombrables contraintes et lenteurs liées aux systèmes en place.

Pour assurer cette vitesse, le rôle et l'implication du comité exécutif sont essentiels : il lui faut rappeler à tout instant la nécessité de la transformation, la feuille de route et les objectifs à court terme. Ce ne sont pas les porteurs d'un projet, ni la direction des ressources humaines, qui peuvent imposer ce rythme, seule la direction générale le peut.

Le séquencement des opérations donne souvent le tempo – dans les premières concrétisations, les retours d'expérience des unités ou des pays ayant pris les devants et dans la mise en scène des résultats. La mise en scène de la vitesse est un facteur de motivation de premier plan : les premières réussites, la différence faite par rapport à des concurrents plus prudents, l'œil heureux des équipes qui sont parvenues à réussir le passage à l'acte et à montrer leur montée en compétences, sont extraordinairement contagieux…

Le projet d'excellence opérationnelle des hypermarchés de Carrefour : comment conduire un apprentissage accéléré à grande échelle

Les hypermarchés sont au cœur des défis de la grande distribution : concurrence des géants de la distribution en ligne comme Amazon, évolution des habitudes des consommateurs, apparition d'acteurs de niche concurrençant des segments comme le bazar ou le son… Les hypermarchés doivent se réinventer !

Carrefour a défini une cible claire pour ses hypermarchés, qui doivent être recentrés sur l'excellence alimentaire, appuyée sur une raison d'être (« *Act for food* ») et traduite dans de nouvelles méthodes de management (« *Act for change* »).

L'évolution stratégique conduit à redéfinir le modèle des hypers : une nouvelle organisation simplifiée et resserrée – moins de rayons, des espaces permettant mutualisation des expertises et polyactivité des équipiers –, une montée en compétences des équipiers aussi bien dans le conseil client – par exemple sur le bio – que dans la maîtrise du digital – et une évolution des méthodes de travail autour de méthodes qualité et de lean management. Tout ceci au service des attentes et des préoccupations des clients, mesurées chaque jour pour chaque hypermarché et donnant des indications sur les points sensibles et sur les acquis de la veille. Et en embarquant les dizaines de milliers de collaborateurs dans cette transformation, sans en laisser au bord de la route, et en valorisant les héros du quotidien comme lors de la crise sanitaire…

L'entreprise n'a pas le temps de prendre le temps : alors qu'une transformation de ce type aurait demandé de l'ordre de 3 à 4 ans de mise en œuvre dans les années 2010, il s'agit maintenant de réussir la mise sous tension de l'ensemble de l'entreprise pour une mise en œuvre en un an.

Le dispositif mis en place par l'entreprise repose sur une recette bien maîtrisée :

Test rapide du modèle organisationnel sur quelques magasins pour en préciser les composantes et les conditions de réussite ;

Construction et partage avec les partenaires sociaux de la cible des métiers et compétences de demain et construction de dispositifs de formation / accompagnement individualisé pour tous les équipiers.

Construction avec les directeurs des hypermarchés des pratiques de management nécessaires au bon fonctionnement de l'hyper de demain ;

Mise en place de différentes pratiques de coaching et d'accompagnement des équipes : co-développement, responsables d'organisation dans les magasins à disposition des équipes, avec mobilisation des équipes RH et formation à tous les niveaux ;

Focalisation de toute l'entreprise sur cette transformation, en « laissant tomber » les projets qui n'y contribuent pas directement.

Résultat : le dispositif est mis en œuvre avec un haut niveau d'adhésion de la part des équipes, une évolution des pratiques en magasin constatées par les clients, et des résultats économiques qui suivent malgré la crise sanitaire.

Conclusion

Upskiller : pour un changement durable...

Peu d'entreprises pourront faire l'économie de transformations majeures dans la période qui s'ouvre. Transformations profondes de *business models* liées à des ruptures permises par les technologies mais aussi au renouvellement des relations avec les clients, au changement radical des méthodes de travail, et à l'intégration du développement durable dans tous les champs de l'entreprise.

La différence entre les entreprises qui réussiront ces transformations et les autres sera en grande partie liée à leurs capacités d'apprentissage, d'*upskilling* à grande échelle.

Nous avons montré dans ce livre que cet *upskilling* ne se limite pas à un investissement en formation, aussi louable soit-il ; ni même à l'impérieuse nécessité de développer plus de *soft skill*s parmi les managers pour mieux accueillir les initiatives des collaborateurs.

Plus fondamentalement, il s'agit de changer profondément la culture et les pratiques dans la conduite des transformations pour permettre un apprentissage accéléré. Passer d'une approche descendante à des démarches plus itératives et remontantes. Réussir la mise en mouvement des équipiers pour qu'ils deviennent enfin acteurs de leur montée en compétences. Faire profondément évoluer le fonctionnement des équipes et le management de proximité pour en faire des lieux d'apprentissage et de progrès continu, en sécurité psychologique pour les collaborateurs. Concrétiser le passage à l'acte de chacun en favorisant le coaching par les pairs.

Réussir ces apprentissages rapides et à l'échelle de l'entreprise est une responsabilité collective, à tous les niveaux. C'est d'abord une mise en mouvement pour chacun, quel que soit son niveau hiérarchique, pour construire son propre parcours d'apprentissage, mais pas chacun pour soi ! Le « chacun » y parviendra difficilement si on lui fait porter seul sa montée en compétences. C'est une responsabilité pour le manager vis-à-vis de son équipe… mais il ou elle s'épuisera si ses collègues et les règles du jeu de l'entreprise ne le soutiennent pas. C'est un rôle crucial pour la DRH bien sûr, et c'est enfin un changement de priorités pour la direction générale.

Amis DRH, c'est vous qui avez le plus à gagner dans la transformation vers une entreprise qui apprend vite, à grande échelle. Cette transformation vous permettra de concrétiser vos rêves d'une entreprise où les collaborateurs sont acteurs de leur parcours et de leurs mobilités et où les managers prennent leur part dans le développement des compétences individuelles et collectives de leur équipe.

Encore faut-il que vous réussissiez vous-même votre révolution. Il vous faut construire une vision de l'apprentissage et des parcours professionnels où c'est le collaborateur qui a la main, où l'entreprise lui fait confiance ; où, via un bon mix d'intelligence artificielle et de soutien donné par les équipes RH, on donne à chaque équipier l'information sur les opportunités qui pourraient l'intéresser, aussi éloignées *a priori* soient-elles de son champ de vision initial. Il vous faut renouveler les outils et les dynamiques de formation pour assurer un passage à l'acte immédiat, en combattant tous ces temps de formation où l'on s'ennuie gentiment en salle ou en *e-learning* sans occasion ni exigence de concrétisation dans les pratiques. Il faut donner envie à vos interlocuteurs de jouer avec vous, et ne pas considérer, comme cela arrive parfois, que seules les procédures vous intéressent. Et, peut-être vous faudra-t-il appliquer à vous-mêmes les préceptes que vous préconiserez pour les autres, en faisant des équipes RH des exemples d'équipes agiles, apprenant en continu, remettant en cause leurs process pour mieux y introduire l'expérience des collaborateurs…

Vous managers, vous avez le beau rôle dans cette transformation. Finalement il s'agit d'être moins sur le devant de la scène comme acteur tout terrain, ayant réponse à toutes les questions, celles de vos collaborateurs et celles de vos chefs. Rouage essentiel de l'organisation, vous êtes le garant de l'efficacité collective et de l'apprentissage individuel. Celui qui permet à votre équipe de progresser en confiance avec vous, en tirant parti des idées de chacun, des essais et des erreurs. De jouer le rôle valorisant de coach vis-à-vis de vos équipiers dans leur propre parcours professionnel.

Mais il faut que vous acceptiez de quitter le confort de la posture du manager suroccupé, gérant les choses à l'instant, en mobilisant vos équipiers qui doivent être à portée de main, de téléphone ou de messagerie… et que vous acceptiez de faire vivre une organisation collective, lisible pour vos équipiers, avec les moments d'apprentissage individuels et collectifs.

Cela implique enfin que vous travailliez sur vos propres pratiques – pour apprendre vous-même, mobiliser les compétences techniques et relationnelles qui vont faire réussir votre équipe et vous ouvrir peut-être des horizons inattendus.

Et pour vous dirigeants, membres de Comex, la posture décrite dans ce livre est celle d'un Comex qui incarne l'entreprise écologiquement et socialement responsable de demain. Une entreprise qui investit vraiment dans ses équipes, assure la rapidité de leur apprentissage et la durabilité humaine et économique de son modèle. Avec, pour ses dirigeants, la satisfaction de mettre en résonance les discours sur la raison d'être de l'entreprise et sa contribution sociétale avec la réalité du management au quotidien.

Au prix peut-être d'un changement de priorité, en mettant l'accent sur la transformation des compétences et la rapidité de l'apprentissage. Le jeu en vaut la chandelle !

Remerciements

Nous tenons d'abord à remercier les acteurs de l'*upskilling* à l'échelle en entreprise, rencontrés à l'occasion de la rédaction de cet ouvrage. Ces héros de la transformation des entreprises nous ont apporté le témoignage de leurs réussites comme de leurs questionnements, et nous ont fait grandir… Nous espérons qu'ils se retrouveront dans ces dix règles d'or. Ils sont trop nombreux pour que nous puissions les citer ici.

Nous avons respecté notre règle d'or de confrontation des idées et d'hybridation des points de vue, en soumettant notre texte à la critique tonique de nos amis universitaires et praticiens. Qu'ils trouvent ici témoignage de nos remerciements.

– Belkacem Ammiar, Associé fondateur de Koan Coaching, coach, thérapeute et enseignant (Paris 8) ;

– Eric Delavallée, enseignant à l'IAE de Paris et président d'IM Conseil & Formation ;

– Sandra Enlart, co-fondatrice du laboratoire d'innovation DSides et chercheuse associée en Sciences de l'Éducation à l'université de Paris-Nanterre ;

– Cécile Chamaret, maître de conférences à l'École polytechnique

– Frédéric Garcias, maître de conférences à l'IAE de Lille ;

– Jean-Luc Placet, Président d'IDRH, associé PwC ;

– Philippe-Joseph Salazar, titulaire de la chaire de rhétorique à la Faculté de Droit de Cape Town ;

– Maurice Thévenet, professeur à l'ESSEC, ancien délégué général de la FNEGE ;

– Dominique Turcq, prospectiviste et fondateur de l'institut Boostzone.

La construction de ce livre a été portée avec enthousiasme par PwC, à deux titres :

– par la dynamique collective des équipes de consultants People & Organization, qui accompagnent leurs clients dans leurs démarches d'upskilling, avec Pierre-Antoine Balu, Sophie Serratrice, Jean-François Marti, Arlene De Mita, associés chez PwC ;

– à travers la démarche ambitieuse d'upskilling mise en œuvre par PwC pour ses consultants, auditeurs et avocats, sous l'impulsion de Bernard Gainnier, président France et Maghreb, et Agnès Hussherr, leader Clients, Market and Innovation.

Marie-Laure Cahier, conseil éditorial et fondatrice de Cahier&Co, a apporté tout au long de la conduite de ce projet d'écriture un coaching précis et exigeant, aussi bien sur la logique du raisonnement, sa formulation… que sur la tenue des délais. Qu'elle en soit remerciée ici.

Bibliographie

ALEXANDRE-BAILLY F. *et al.* (2013). *Comportements humains & management*, 4e édition, Pearson.

AMABILE T.M., PILLEMER J. (2012). « Perspectives on the Social Psychology of Creativity », *The Journal of Creative Behavior*, *46*, n° 1, p. 3-15.

AMIN A., COHENDET P. (2004). *Architectures of knowledge : firms, capabilities and communities*, Oxford University Press, Oxford.

AMMIAR B., KOHNEH-CHAHRI O. (2019). *La boîte à outils du coaching,* 3e édition, Dunod, Paris.

ARGYRIS C., SCHÖN D.A. (1978). *Organizational learning*, Addison-Wesley Pub. Co, Reading, Mass (Addison-Wesley OD series).

AROLES J., MITEV N., DE VAUJANY F.-X. (2019). "Mapping themes in the study of new work practices", *New Technology, Work and Employment*, vol. 34, n° 3, p. 285-299.

AUTISSIER D., JOHNSON K., MOUTOT J.-M. (2018). *L'Innovation managériale*, Eyrolles, Paris.

BAS O. (2015). *L'Envie, une stratégie*, Dunod, Paris.

BATESON G. (1972). *The Steps to an Ecology of Mind*, University of Chicago Press, Chicago.

BAZÀN B., WIPPEL J.W., FRANSEN G. et JACQUART D. (1985). *Les Questions disputées et les questions quodlibétiques dans les facultés de théologie, de droit et de médecine*, Turnhout, Brepols.

BAUMARD P. (1996). *Organisations déconcertées : la gestion stratégique de la connaissance*, Masson, Paris.

BAUMARD P. (1999). *Tacit Knowledge in Organizations*, Sage, London.

BENHAMOU S., LORENZ E. (2020). « Promouvoir les organisations du travail apprenantes : enjeux et défis pour la France », *France Stratégie*, avril.

BERGER L. (2020) « Décider en climat d'incertitude profonde, retour sur la COP21 », *The Conversation*, 8 avril.

BERGER L., BOSETTI V. (2020). « Are Policymakers Ambiguity Averse? », *The Economic Journal*, *130*, n° 626, p. 331-355.

BOUCHEZ J.-P. (2016). *L'entreprise à l'ère du digital : les nouvelles pratiques collaboratives*, De Boeck supérieur, Louvain-la-Neuve (Méthodes & Recherches).

BROWN J.S., DUGUID P. (1991). « Organizational Learning and Communities-of-Practice: Toward a Unified View of Working, Learning, and Innovation », *Organization Science*, *2*, n° 1, p. 40-57.

CABANTOUS L., HILTON D. (2006). « De l'aversion à l'ambiguïté aux attitudes face à l'ambiguïté », *Revue économique*, *vol. 57*, n° 2, p. 259-280.

CASCIARO T., EDMONDSON A.C., JANG S. (2019). « Cross-Silo Leadership », *Harvard Business Review*, 1st mai.

CHAILLAN M. (2015). *Harry Potter à l'école de la philosophie*, Ellipses, Paris.

CHESBROUGH H. (2012). « Open Innovation : Where We've Been and Where We're Going », *Research-Technology Management*, *55*, n° 4, p. 20-27.

CHIAMBARETTO P., MASSÉ D., MIRC N. (2019). "All for One and One for All?": Knowledge broker roles in managing tensions of internal coopetition : The Ubisoft case, *Research Policy*, vol. 48, issue 3, april, p. 584-600. Prix académique de la recherche Syntec 2019.

CIALDINI R.B. (1984). *Influence, the Psychology of Persuasion,* Harper Business, New York.

COHEN D. *(2012). Homo Economicus, prophète (égaré) des temps nouveaux*, Albin Michel, Paris.

COHENDET P., CRÉPLET F., DUPOUËT O. (2003). « Innovation organisationnelle, communautés de pratique et communautés épistémiques : le cas de Linux », *Revue française de gestion*, *29*, n° 146, p. 99-121.

COHENDET P. (2016). « Arthur Koestler, Aux origines de l'acte créatif : la bisociation » *in* Cohendet *et al., Les grands auteurs en management de l'innovation et de la créativité*, Éditions EMS, Caen.

CROZIER M., FRIEDBERG E. (1977). *L'Acteur et le système*, Paris, Seuil.

CUSUMANO M.A., GAWER A. (2002). « The elements of platform leadership », *MIT Sloan management review*, *43*, n° 3, p. 51.

DEWEY J. (1920). *Reconstruction en philosophie*, trad. P. Di Mascio, Publication de l'université de Pau : L.Farrago/Scheer, 2003.

Dewey J. (1916). *Démocratie et éducation*, « Les valeurs éducatives », « Les théories de la connaissance », trad. G. Deledalle, Armand Colin, 1944.

Dujarier M.-A. (2015), *Le Management désincarné, enquête sur les nouveaux cadres du travail*, La Découverte, Paris.

Dupin C.-M. (2009). « Les rituels : enrichissement de la vie », *Actualités en analyse transactionnelle*, vol. 130, n° 2, 2009, p. 53-56.

Dupuy F. (2004). *Sociologie du changement*, Dunod, Paris.

Durkheim E. (1912). « Les formes élémentaires de la vie religieuse : le système totémique en Australie », vol. 4., *Alcan*.

Edmonsdon A.C. (2019). *The Fearless Organization. Creating pychological safety in the workplace for learning, innovation and growth*, Wiley, Hoboken.

Edmondson A. (1999). « Psychological Safety and Learning Behavior in Work Teams », *Administrative Science Quarterly*, *44*, n° 2, p. 350-383.

Enlart S. (2018). *De la formation à la learning company l'apprentissage connecté au cœur des entreprises*, Eyrolles, Paris.

Fuller J.B., Wallenstein J.K., Raman M., de Chalendar A. (2019). « Your Workforce is more adaptable than you think », *Harvard Business Review*, May-June.

Garcias F. (2016). « Destins de la courbe d'apprentissage : heurs et malheurs d'une technologie managériale de guerre en temps de paix », *Entreprises et histoire*, n° 85, n° 4, p. 26-39.

Garvin D.A., Edmondson A.C. et Gino F. (2008). « Is yours a learning organization? », *Harvard Business Review* n° 86 vol. 3.

Gilbert P., Teglborg A., Raulet-Croset N. (2017). L'entreprise libérée, innovation radicale ou simple avatar du management participatif ?, *Annales des Mines – Gérer et comprendre*, 127(1), p. 38-49.

Hatchuel A. (1994). « Apprentissages collectifs et activités de conception », *Revue Française de Gestion*, n° 99, p. 109-120.

Haynes, L. *et al.* (2012). *Test, Learn, Adapt – Developing Public Policy with Randomised Controlled Trials*, The Behavioural Insights Team Publications, Cabinet Office.

Heilmann C. (2014). « Success conditions for nudges : a methodological critique of libertarian paternalism. » *European Journal of Philosophy of Science*, p. 75-94.

Hussler C., Burger-Helmchen T. (2019). « La connaissance : l'atome de la stratégie », in *Les grands courants en management stratégique*, Sébastien Liarte (ed.), Éditions EMS, p. 195-220.

HUYARD C. (2016). « Nudges : validité, limites et enjeux éthiques, notamment en santé », *Médecine/Sciences* 32.12, p. 1 130-1 134.

JANAND A., NOTAIS A. (2017). « Apprendre en bougeant », *@GRH, n° 25*, n° 4, p. 61-87.

JULLIEN F. (1996). *Traité de l'efficacité*, Grasset, Paris.

KAHNEMAN D. (2011). *Thinking, fast and slow*, Penguin Books, London.

KIM W.C., MAUBORGNE R., COHEN L. (2005). *Stratégie Océan Bleu : comment créer de nouveaux espaces stratégiques*, Village Mondial, Paris.

KŒNIG G. (2006). « L'apprentissage organisationnel : Repérage des lieux », *Revue Française de Gestion*, n° 160, p. 293-306.

KOESTLER A. (1964). *The Act of Creation*, Hutchinson. Titre français : Le Cri d'Archimède.

La Fabrique de l'industrie (2017). « Numérique et emploi : quel bilan ? », *Les Synthèses de La Fabrique* n° 12, avril.

LALOUX F. (2015). *Reinventing organizations : vers des communautés de travail inspirées*, Diateino.

LAROCHE B., HACCOUN L. (1999). « Maximiser le transfert des apprentissages en formation : perspectives professionnelles », *Interactions*, vol. 3, n° 1 et 2, printemps-automne.

LAVE J., WENGER E. (1991). *Situated learning: legitimate peripheral participation*, Cambridge University Press, Cambridge.

LEONARD-BARTON D. (1995). *Wellsprings of knowledge: building and sustaining the sources of innovation*, Harvard Business School Press, Boston.

LEVINAS E. (1961). *Totalité et Infini : Essai sur l'extériorité*, Nijhoff, La Haye.

LOMBARDO M.M., EICHINGER R.W. (1996). *The Career Architect Development Planner*, Lominger, Minneapolis.

LORENZ E., VALEYRE A. (2005). « Organisational innovation, human resource management and labour market structure: A comparison of the EU-15 », *Journal of Industrial Relations*, *47*, n° 4, p. 424-442.

LORINO P. (2018). *Pragmatism and organization studies*, Oxford University Press, Oxford.

MAHMOUD-JOUINI S.B. (2004). « Management des connaissances et des apprentissages dans les entreprises multi-projets : le cas des stratégies d'offres innovantes », *Post-Print*, hal-00262706, HAL.

March J.G., Simon H.A. (1958). *Organizations*, Wiley, Oxford.

McKinsey Global Institute (2018). « Skill Shift: Automation and the Future of the Workforce », Discussion paper, may.

Mohr G. (2010). « Publicité de la raison, droit et cosmopolitisme chez Kant », in Guibet Lafaye C., *Raison pratique et normativité chez Kant : Droit, politique et cosmopolitique*. ENS Éditions, Lyon, p. 213-244.

Nelson R.R., Winter S.G. (1982). *An evolutionary theory of economic change*, Belknap Press of Harvard University Press, Cambridge.

Nonaka I., Takeuchi H. (1995). *The knowledge-creating company: how Japanese companies create the dynamics of innovation*, Oxford University Press, New York.

Nonaka I., Toyama R., Konno N. (2000). « SECI, Ba and Leadership: a Unified Model of Dynamic Knowledge Creation », *Long Range Planning*, *33*, n° 1, p. 5-34.

Ottaviani F., Steiler D. (2018), « Les nudges : un coup de pouce non violent ? », *The Conversation*, 26 avril.

Pech T., Richer M. (2020). « La révolution du travail à distance : l'enquête #Montravailàdistance, Jenparle », *Terra Nova*, 30 avril.

Pellerin F., Cahier M.-L. (2019). *Organisation et compétences dans l'usine du futur*, Les Notes de La Fabrique, Presses des Mines.

Petitbon F., Bastianutti J., Descamps M. (2017). *Managers : Libérez, délivrez… surveillez ?* Le Cherche Midi, Paris.

Petitbon F., Besson P., Heckmann H., Rodriguez J., Tessier E. (2011). *Conduire la transformation : Faut-il mettre le feu pour transformer son entreprise ?*, Dunod, Paris.

Picard D. (2002). « Rites, rituels » *in* Jacqueline Barus-Michel éd., *Vocabulaire de psychosociologie*, ERES, p. 251-257.

Popper K. (1985). *Conjectures et réfutations,* Paris, Payot.

Pottiez J. (2017). *L'évaluation de la formation : Piloter et maximiser l'efficacité des formations*, 2e édition, Dunod, Paris.

PwC France (2019). « La transition des compétences dans un monde digital », sous la direction de Sophie Serratrice.

Quérat-Hément X. (2014). *Esprit de service : passer du marketing au management de l'expérience client*, Lexitis éditions.

RICHER M. (2020). « Managers, construisez votre dream team : l'expérience de Google », *Management&RSE* (blog), 25 février.

ROUYRE A., FERNANDEZ A.-S. (2019). « Managing Knowledge Sharing-Protecting Tensions in Coupled Innovation Projects among Several Competitors », *California Management Review*, *62*, n° 1, p. 95-120.

SCHARFF C., PROBST L. (2018). *Upskill: 6 Steps to Unlock Economic Opportunity for All*, Clink Street Publishing.

SCHÖN D.A. (1983). *The Reflective Practitioner: How Professionals Think in Action*, Basic Books, New York.

SEGRESTIN B., HATCHUEL A. (2012), *Refonder l'entreprise*, Paris, Seuil, coll. « La république des idées ».

SENGE P.M. (1990). *The Fifth Discipline: the art and practice of the learning organization*, Currency Doubleday, New York.

SIMON H.A. (1991). « Bounded Rationality and Organizational Learning », *Organization Science*, *2*, n° 1, p. 125-134.

SMITH W.K., & LEWIS, M.W. (2011). Toward a Theory of Paradox: A Dynamic Equilibrium Model of Organizing. *Academy of Management Review, 36*, n° 2, p. 381-403.

TELLIER A. (2017). *Bonnes vibrations : quand les disques mythiques nous éclairent sur les défis de l'innovation*. Éditions EMS, Caen.

TELLIER A. (2020). *Nouvelles vibrations. S'inspirer des stars du rock, de la pop et du hip-hop pour innover*. Éditions EMS, Caen.

TORRES F. (2018). *L'entreprise post-RSE. À la recherche de nouveaux équilibres*, Institut de l'entreprise, novembre.

THALER R.H., Sunstein, C.R. (2009). *Nudge: Improving decisions about health, wealth, and happiness*, Penguin Putnam, New York.

UGHETTO P. (2018). *Organiser l'autonomie au travail. Travail collaboratif, entreprise libérée, mode agile : l'activité à l'ère de l'auto-organisation*, FYP Editions, Limoges.

VALENTIN M. (2020). *Hypermanufacturing*, Dunod, Paris.

WEIL T., DUBEY A.-S. (2020). *Au-delà de l'entreprise libérée : enquête sur l'autonomie et ses contraintes*, Les Notes de La Fabrique, Presses des Mines, Paris.

WRIGHT T.P. (1936). « Factors Affecting the Cost of Airplanes », *Journal of the Aeronautical Sciences*, *3*, n° 4, p. 122-128.

Table des matières

PARTIE 2 – Les règles d'or des équipes qui apprennent vite

édition pré-presse
livres numériques

44400 Rezé

81731 – (I) – BOU 80° – PCA – MPN
Imprimerie CHIRAT – 42540 Saint-Just-la-Pendue
Dépôt légal : octobre 2020

Imprimé en France